De bruiden van Branca

Van Diet Verschoor verscheen in de Life-reeks:

Tessa
Emma's Noorderlicht
Romeo nu

Meer informatie?
www.uitgeverijholland.nl

Diet Verschoor

De bruiden van Branca

Uitgeverij Holland - Haarlem

Dit boek kan gekozen worden door de Jonge Jury 2004
Stemmen? Kijk op www.jongejury.nl

Hoofdstuk 1

Eindelijk zijn ze getrouwd en de hele familie lijkt geveld. Mijn moeder loopt rond met van die wazige ogen, zo heb ik ze nog nooit gezien. Mijn vader kijkt naar mij alsof hij alleen maar denkt: wanneer ga jij trouwen, Branca en met wie? Mijn broers blijven maar lachen. 'Het was één kakelbonte film, één grote voorstelling. Alles gedrenkt in tranen, heel veel tranen,' roepen ze. 'Wist jij, Branca, dat trouwen zo'n inslaande vertoning kon worden? En dan te bedenken dat papa eerst zo tegen was. Moest je zijn speech horen, alsof Marte zíjn grote liefde was.'

'En tante Resel, die als een wilde aan het dansen sloeg. Voor een dag losgebroken uit de sleur. Dat malle mens hupste iedereen eruit. Hoe oud is ze eigenlijk?'

'Maar onze Carlyn sloeg alles. Wat een superbruid.'

Mijn broers, de tweeling, houden niet meer op. Ze lijken sprekend op elkaar: Jacob en Wart. Gisteren waren ze nog als keurige heren verkleed in een pak, zelfs met een das erbij en flirtten met iedereen die ze tegenkwamen. Nu lopen ze weer als vagebonden rond, altijd in dezelfde kleren. 'Nu jij nog Branca,' wijzen ze naar mij. 'We hebben je wel zien flik-flooien met die neef van Marte. Gisteren, op het feest was jij alleen maar bezig met die mooie blonde jongen, met dat lange haar en die merkwaardige kleren. Wat stond je met hem te bedisselen?'

'Dat was Thomas, en die vond ik toevallig erg leuk.'

'Aha, onze zegen heb je.'

'Hou op, onze grote zus mag dan getrouwd zijn, maar dat betekent nog niet dat ik dat ooit zal doen. Vergeet niet dat er ongeveer een generatie tussen zit. Ik weet zeker dat ik dit soort dingen niet aanga, gewoon vrachtwagenchauffeur wil worden en nooit zal trouwen.'

'Ik denk dat pa en ma daar zeer gelukkig mee zijn,' knikt

Wart opgewekt. 'Ze zouden liever zien dat jij een of andere manager wordt, inclusief mantelpak, netkousen en een topsalaris.'

'Wij leven niet voor onze ouders,' zeg ik overtuigd. 'Ik doe namelijk wat ik wil.'

Mijn broers knikken eensgezind. 'Kijk ons rustige gezinnetje nou eens,' peinst Wart, 'ouders al dertig jaar bij elkaar, keurige baan van pa, keurige baan van ma. Vier kinderen waarvan er drie studeren.'

'En waarvan de vierde een soort analfabeet is, die nooit gaat studeren, die blij zal zijn als ze dat afschuwelijke havo diploma haalt,' roep ik er dwars doorheen.

'Stt, luister,' zegt mijn broer en hij fluistert op een geheimzinnige toon in mijn oor. 'Overal komen de stormen, zelfs in onze familie. Eerst die zus van ons, die wilde trouwen. Vervolgens ben ik van plan met mijn studie te gaan stoppen en ik niet alleen, Jacob ook. Nog niet verder vertellen graag. En vervolgens ga jij aankondigen dat je vrachtwagenchauffeur wil worden.'

'Meedelen ja, dus niet overleggen.'

'Kortom zwaar gemiddeld harmonieus gezin wordt plotseling overwoekerd door heftige veranderingen,' beaamt Jacob plechtig.

'En de bruiden zwerven nu over de wereld, hangen in de lucht of liggen in een of ander duur hotel,' roep ik opgewonden.

'Twee bruiden in onze familie, is het niet super. Ik heb genoten van al die nieuwsgierige mensen die nog nooit twee bruiden hadden gezien. Mijn god, wat waren ze mooi,' lacht Jacob.

'Ik werd bloedgeil van dat stel,' lacht Wart.

'Ze waren geweldig. Onze Carlyn was super, maar Marte was minstens even geweldig.'

'De volgende klap wordt dat wij dus naar Amerika gaan.'

'Amerika?' vraag ik geschrokken, 'waarom zo ver weg?'

'Onze studie economie heeft lang genoeg geduurd, wij gaan kunst verhandelen. Het wordt een geweldige zaak, let maar op.'

'Jullie zijn gek,' roep ik vrolijk, 'voorlopig geloof ik jullie niet.'

'Nee we zijn niet gek, over drie maanden vertrekken we.'

'En niemand weet nog ergens van.'

'Precies: Wij dachten eerst de bruiden, alles na de bruiden.'

'En de bruiden zijn gelukkig. Nu wij nog. Pa en ma krijgen binnenkort de volgende aanslag op hun normbesef te verwerken.'

'Help,' kreun ik opgewekt.

Dan gaat de telefoon. Het is Thomas. 'Ik heb een filmrolletje gevonden, gisteravond nadat de bruiloft afgelopen was. Het lag op de dansvloer. Niet van mij. Mogelijk van de fotograaf. Wat doe ik ermee?' hoor ik hem aan de andere kant van de lijn.

Ik denk bliksemsnel na en zie mijn broers meeluisteren. Leve de mobiele telefoon, ik loop weg naar de tuin en hoor Thomas' opgewonden stem: 'Misschien wel een reden om jou snel te zien.'

Ik bloos. 'Misschien wel een heel geheimzinnig rolletje dat alles op z'n kop zet.'

Hij lacht. Ik vind zijn stem leuk. Ik wil hem zien.We spreken voor morgenmiddag af.

'Van een bruiloft komt een bruiloft,' roepen mijn broers mij na.

Ik zwaai nonchalant naar ze.

Die avond zit ik met Wanda en Erica op mijn kamer.

'Er gaan steeds meer dingen gebeuren in ons middelmatige harmonieuze gezin,' zeg ik met een gekke stem.

'Saaie moeder, beetje driftige vader. Keurig, te keurig,' klaag ik altijd tegen mijn vriendinnen. 'Wij eten op tijd, wassen op tijd, slapen op tijd. Iedereen sport, iedereen spaart. Het is zo'n superverantwoord doorsneegezin, geschikt voor was-middelen- of rookworstenreclames. Of voor spruiten, gebakken aardappelen en een lapje rosbief. Handige middel-maat auto, handig huis in een nette straat. Niet grachtengor-del, niet de Pijp, niet de Bijlmer, maar gewoon lekker keurig Amsterdam-Oost. Familie middelmaat.'

Wanda en Erica, mijn twee hartsvriendinnen, luisteren gewoon niet naar mij. Ze lakken onverstoorbaar hun nagels met glitters wanneer ik weer eens losbreek in een scheldpar-tij op mijn familie. Ze dragen fluoriserende bh's en strings en gedragen zich alsof ze achttien zijn.

'Seks is één, hersens zijn twee,' lacht Wanda altijd. 'Doe niet zo achterlijk, Branca. Wij komen uit van die leuke gebroken gezinnen met tweede vaders en aanstellerige moeders die zo nodig jong moeten blijven. Wij hebben stiefzusjes waar we geen moer aan vinden. Wij moeten Franse kaas eten en die eeuwige pizza's, omdat niemand zin heeft om te koken. Wij verlangen naar de aardappelen met jus van jouw moeder. Ruilen?'

'Of mijn stiefbroer,' zegt Erica elke keer weer, 'die is pas een ware ramp, zo een die je met van die fluwelen ogen aankijkt. En iedere keer weer de badkamer nodig heeft, als ik erin zit. Ach meiden, nog even en we gaan op kamers: eigen baas, eigen muziek, eigen leven.'

'Eigen auto,' roep ik, 'een tientonner. Denken jullie dat we ooit die havo halen?'

'Ik vrees dat het moet,' zucht Wanda. 'Een middelbare schooldiploma, dat is onze eis... daarna moet je het zelf maar uitzoeken,' roepen we alledrie tegelijk. Het is een uitspraak van Wanda's moeder, die zegt dat minstens drie keer per week.

'En wat zoeken wij dan uit?'

'Het leven, het grote leven.'

'Heb jij enig idee, Branca, hoe die bruiden het nou doen?' vraagt Wanda dan.

'Wat doen?'

'Het!'

'Nou gewoon, weet ik veel.'

'Wat je gewoon noemt, het lijkt mij wel opwindend twee van diezelfde lijven. Hoe doe je dat dan?'

'Missen ze dan iets, of hebben ze juist iets wat wij niet snappen?' gaat Erica verder.

'Hou op,' roep ik uit.

'Nee, we beginnen pas. We willen alles weten, jij kunt daarvoor zorgen. Misschien worden we allemaal wel verliefd op een vrouw.'

'Ik moet je zeggen dat het mij wel eng lijkt,' zegt Wanda met rode wangen, 'stel je voor dat ik verliefd werd op Brikkie van Nederlands.'

We schieten alledrie in de lach. 'Nee dan toch maar Damker met zijn rode krullen en dat pikante snorretje.'

'Dat kriebelt vast heel opwindend,' zeg ik uitdagend. 'Weten jullie trouwens dat hij iets met Nora uit de vijfde heeft.'

'Nee, alsjeblieft niet!' roepen ze allebei.

We drinken een glas wijn uit een van de flessen die ik stiekem naar mijn kamer heb gesmokkeld, bruiloftswijn.

'Het is nu heel lang over de bruiloft gegaan. Mijn zus is dan eindelijk getrouwd. Met een vrouw. Nou en. Goed, ze vrijen er vrolijk op los, weet ik veel hoe. Goed, ze wonen nu samen in een huis met een hond erbij. Ze hebben alle twee een flitsende baan en een auto en veel poen. En nou wil ik het over wat anders hebben.'

'Waarom?' vraagt Erica, 'ik vond het net reuze interessant worden, twee dezelfde lijven, het lijkt mij zo gek zonder...'

'Vergeet het maar, niks is gek. Het leven is een groot experiment,' knikt Wanda.

'Ik wil het over wat anders hebben eindelijk... eindelijk eens over iets anders...' mijn stem slaat bijna over. 'Voor de bruiloft werd over niets anders gepraat en nu gaat nog steeds alles erover. Hoe leuk het was. Wat iedereen deed en zei. De foto's, de video, de bedankjes,' mijn stem schiet vol, 'en dan nog het geheim.'

'Welk geheim,' roepen mijn vriendinnen tegelijk.

'Dit feit,' zeg ik plechtig, 'er blijkt een gevonden voorwerp op de bruiloft te zijn. Dit zal die roerende schitterende onvergetelijke bruiloft een staart geven. Een grote staart. Jullie zullen er spoedig van horen.'

'Nu!' roepen ze uit.

'Nee, niet nu, later,' zeg ik beslist.

Hoofdstuk 2

Thomas zit al bij 't Is Fris, een café midden in de stad. Hij is in een krant verdiept en ziet me niet aankomen. Ik kijk naar zijn haar dat in krullende slierten om zijn hoofd hangt. Hij draagt een oranje broek en een zwart shirt. Zijn schoenen zijn afgetrapt.

Ik heb zin om hem aan te raken, mijn handen door zijn haren te laten gaan. Maar ik hou me in en zet omzichtig mijn fiets vast aan drie dikke sloten.

'Branca,' zegt hij blij als ik vlak voor hem sta. Hij komt overeind en drukt mij in zijn armen alsof we geliefden zijn. Ik voel dat ik bloos en kan dat niet uitstaan. Tegelijk merk ik dat een paar meiden aan een tafeltje naast ons vooral naar mij zitten te kijken.

'En, zijn de bruiden verdwenen?' vraagt Thomas.

'Helemaal verdwenen,' zeg ik, 'de volgende ochtend na het ontbijt belden ze nog voor ze de lucht ingingen. Ik ben blij dat het voorbij is en dat ze eindelijk zijn vertrokken. Ik kan langzamerhand geen satijn en tule en bruidssuikers meer zien.'

'Het was een geweldig feest, een super strandfeest, maar ik weet wel heel zeker dat ik nooit trouw,' zegt Thomas opgewekt, 'die zus van jou is te gek zeg, ik had haar nooit gezien. Ik ken natuurlijk alleen maar Marte. Nou en die is het zwarte schaap van de familie en ik ben het zwarte schaap in wording.'

'Ik trouw ook nooit,' zeg ik snel, 'het idee dat je de hele dag het middelpunt bent en iedereen naar je kijkt of je wel mooi en gelukkig bent. Ik moet er niet aan denken.'

'Zeg nooit nooit,' grinnikt Thomas, 'wil jij koffie?'

Ik knik en staar naar de tatoeages op zijn arm. Een zeemeermin met een hartje in haar navel, met daarom heen een blauwe kring.

'Zeker van je geliefde?' vraag ik vals.

'Inderdaad, maar wel een andere geliefde dan jij denkt.'

'Hoe dan?'

'Later,' zegt Thomas. Hij schuift de koffie die voor ons wordt neergezet naar mij toe en maakt met zijn tanden de suikerzakjes open.

'Waarom zijn jullie zwarte schapen? Waarom Marte, waarom jij?'

'Ook later,' knikt Thomas, 'ik wil eerst naar je kijken, ik heb je alleen maar swingend op het strand gezien en later bij de zee. Mooie zee weet je nog?'

Ik bloos weer. Thomas pakt mijn hand en streelt die krachtig. 'Ik ben ook niet vergeten hoe jij zoende, allemachtig.' Thomas buigt zijn gezicht vlak naar het mijne. 'Bij het opruimen na het feest, toen de bruiden waren vertrokken en wij de cadeaus verzamelden vond ik dus midden op de dansvloer dit filmpje. Een Agfa 2000, 36 opnames. Gebruikt. In het zwarte doosje opgeborgen en dus verloren.'

Hij duwt het filmpje in mijn handen en fluistert in mijn oor: 'Wie weet wat hier op staat. Mogelijk zijn het superfoto's die ze nog niet hebben gemist. Wanneer ze terugkomen van de reis wachten wij ze op met de allermooiste opnames die wij straks gaan laten afdrukken.'

'Wat een lummels die fotografen, wie verliest er nou een filmpje,' zeg ik uit de grond van mijn hart, 'kom op, we brengen het naar de een-uur-service.'

We nemen nog een kop koffie en slenteren dan wat over de gracht. Thomas slaat een arm om mij heen en drukt zijn gezicht zo nu en dan in mijn haar. Ik zou wel willen dat ik bekenden tegenkom, vooral van school. Maar natuurlijk zie ik niemand.

Thomas vertelt over de theaterschool waar hij nu al drie jaar opzit. 'We zijn met elkaar een stuk aan het schrijven, De Zwarte Lady heet het en ik heb mezelf een schitterende rol toebedacht. Een soort tiran die iedereen ongelooflijk pest en vervolgens eigenlijk een hele prima vent blijkt te zijn. Dat wijkt nauwelijks af van de werkelijkheid. Kom je kijken als we het opvoeren?'

'Natuurlijk,' zeg ik stoer en vraag me nu al af of ik de theaterschool binnen durf te gaan.

'Wat ga jij later doen, na de havo?'

'Ik haal mijn rijbewijs, vervolgens mijn grootrijbewijs en dan word ik chauffeur van een superwagen en ben ik verdwenen.'

'Meen je dat?' vraagt Thomas verbaasd.

'Absoluut meen ik dat.'

'Te gek zeg, mag ik mee?'

'Soms.'

Ik moet opeens aan mijn zus denken die zich nu echt aan iemand verbonden heeft. 'Ik wil de hele wereld laten zien hoe gelukkig ik met haar ben,' had ze gezegd. 'Nog nooit was ik zo gelukkig met iemand.'

'Kom we gaan de foto's halen,' onderbreekt Thomas mijn gepeins.

We laten de envelop met de foto's in de winkel nog gesloten en lopen naar een nieuw terras.

'De verloren geraakte superfoto's,' zegt Thomas. 'Hokus pokus…' Hij maakt de envelop open en allebei geven we een vreemde gil. Het zijn allemaal foto's van Marte, afbeeldingen van haar in een innige omhelzing met een man. Ze is bijna naakt, op een minuscuul slipje na. Ze heeft de armen om de man heengeslagen en drukt zich vol hartstocht tegen hem aan. Op de andere foto's zit ze bij hem op schoot, haar hoofd in zijn nek, zijn handen op haar borsten. Hun benen krullen zich om elkaar heen. Twee close-ups van hun monden op elkaar. Marte's handen om zijn gezicht, haar donkere ogen lijken van fluweel, haar tong strijkt over zijn lippen. De ene foto is nog obscener dan de andere. Er zijn ook een heleboel foto's bij waarop niets te zien is.

'Wat is dit?' zeg ik vol afgrijzen, 'wie is dat?'

'Gadverdamme, wat een smerige vent, wie heeft dit

gemaakt,' roept Thomas uit. We kijken elkaar verbijsterd aan. Ik schuif de foto's snel weer in de envelop. Ik zie in de verte mijn zusje voor me, hoe zij zich verbeeldt nu precies een dag supergelukkig getrouwd te zijn met Marte Ravenga, journaliste, zeer kundig op de cello. Marte met de fluwelen ogen en de artistieke handen.

'Gadverdamme,' zeg ik nog harder, 'wat is dit? Ik ga dit uitzoeken.'

'Wie heeft deze foto's gemaakt, wie heeft dat filmpje bij zich gehad? Wie heeft er wat mee willen doen?' zegt Thomas.

In gedachten lopen we de gasten na. Het zijn er veel. We raken verward in namen en beginnen opnieuw.

'Ik dacht dat Marte van vrouwen hield,' schampert Thomas, 'wat is dit voor een vuile bedriegster. Je moet dit ogenblikkelijk in de openbaarheid gooien.'

'Ik dacht dat Marte van Carlyn hield,' zeg ik zacht. 'Ik ga dit echt uitzoeken.'

'Ik help je,' knikt Thomas.

'Voorlopig moeten we het aan niemand zeggen en een plan maken, zodat de waarheid boven komt.'

'Kunnen ze gelijk weer gaan scheiden.'

Ik voel tranen in mijn ogen. Ik gooi de envelop in mijn tas en zonder te betalen lopen we weg van het terras, zodat we ogenblikkelijk worden teruggeroepen. Snel graaien we het geld bij elkaar. Een vreemde haast krijgt ons te pakken. Tegelijkertijd weten we niet wat we moeten doen We lopen een heel eind langs de gracht en luisteren naar elkaars veronderstellingen. Misschien is het een grap. Misschien is het een toneelstuk. Misschien is Marte echt slecht. Misschien is ze bi. Misschien doen ze dit soort dingen samen met anderen en ook alleen. Misschien vinden ze dit doodnormaal. Misschien wordt Carlyn hartstikke bedrogen. Misschien.

Thomas brengt mij naar huis en voor de deur zoent hij mij op mijn mond. Ik voel zijn tong maar ik heb helemaal geen zin in zoenen.

'We maken allebei een plan en we leggen die plannen naast elkaar, goed?' zeg ik strak.

'Laten we zaterdag afspreken.'

'Oké, zaterdag, in het Vondelpark,' zegt Thomas. 'Eigenlijk zijn de foto's van mij, ik heb het rolletje gevonden.'

'Carlyn is mijn zus,' zeg ik.

'Marte is mijn nicht.'

We schieten allebei in de lach.

'Ik houd ze bij me en niemand mag ze zien.'

'Oké, jij houdt ze bij je. En ik heb een reden om jou snel weer te moeten zien.'

Ik steek de sleutel in het slot en ren de trap op naar mijn kamer. Ik pak de envelop uit mijn tas, maar iets in mij weigert om de foto's nog een keer te zien. Ik schuif ze onder een stapel t-shirts in mijn kleerkast. Ik voel me beroerder dan ooit.

Hoofdstuk 3

Het is minstens vreemd te noemen wanneer je een zus hebt
die elf jaar ouder is. Toen ik op straat speelde, stond zij te
zoenen in het portiek. Wanneer ik naar binnen wilde, siste ze
mij toe dat ik op moest donderen. 'Ga weg jij, marmot.'
Zij was eigenlijk een hele jonge tweede moeder voor mij, een
soort tussenmoeder. Enerzijds begreep ze vaak wat ik
bedoelde en stelde ik via haar mijn vragen. Anderzijds was ik
in haar ogen een onnozel schaap. Hoe ouder zij werd, hoe
onnozeler ik in haar ogen was.
Ze schold, ze raasde. Ze klapte met deuren. Ze schminkte
haar gezicht. Ze verfde haar haren soms rood, soms geel en
soms wit. Ze had of pijpenkrullen of dreadlocks of een ste-
kelkop. De flesjes nagellak en de panty's in de kasten van
haar kamer waren talrijk en graag probeerde ik ze allemaal
uit. Haar schoenen puilden uit haar kast.
Ze was mooi onze Carlyn, en sexy en veelbelovend. En
razend intelligent, zoals ik mijn vader vaak tegen zijn vrienden hoorde zeggen. Die Carlyn van ons kan werkelijk alles,
een slimme meid, een mooie meid. En een moeilijke meid,
zuchtte mijn moeder. Een rotmeid, zeiden mijn broers die
hun oudere zus graag voor gek zetten.
Eigenlijk was Carlyn alleen in ons gezin. En ik was ook
alleen. Daartussenin waren twee fronten, onze ouders en
onze broers. Beide koppels waren aaneengesmeed. Carlyn
leefde aan de top en ik leefde bijna onder de grond, een
soort marmot die ook nog wat rondkroop, onbelangrijk, toevallig nog net op de wereld aangekomen. Mogelijk zelfs een
vergissing.
'Ben ik eigenlijk toch niet een vergissing?' vroeg ik graag op
de meest onverwachte momenten, het liefst in aanwezigheid
van anderen.
'Nee, je bent geen vergissing,' zei mijn moeder dan. Maar ze

kreeg wel altijd iets ongemakkelijks wanneer ze die woorden uitsprak.

Carlyn nam al heel jong vriendjes mee naar huis. Ze zaten bij ons aan de tafel, volgens Carlyn moest iedereen altijd kunnen mee-eten. Mijn ouders spraken dat niet tegen. Er was eten genoeg. De vriendjes werden door vijf paar kritische ogen bekeken. En deugden nooit.

Er waren verhitte gesprekken over alle actuele onderwerpen. Over vegetarisch zijn, over religie, over economie, over normen en waarden, over milieukwesties, over geld.

Carlyn oreerde, en de jongens oreerden mee. Mijn vader liet zich verleiden tot heftige debatten waar hij eigenlijk te moe voor was. Mijn moeder zweeg lang en mengde zich uiteindelijk met een scherpe mening, die Carlyn steevast kortzichtig vond.

'Jij kan niet denken,' zei ze vaak, 'jij voelt alleen maar, daar word ik niet goed van.'

De vriendjes verdwenen na een tijdje weer. Ze waren niet echt interessant, beweerde Carlyn.

'Jouw kritiek brengt je nog eens tot grote eenzaamheid,' zuchtte mijn moeder.

De tweeling lette maar op een ding: gaan zij met elkaar naar bed of niet. Ze probeerden dat zonder vragen voortdurend te weten te komen en stookten mij op om dat wel te doen. We kregen voorlopig geen inzicht.

'Stumperds,' zuchtte Carlyn, 'waar hebben jullie het over?'

We dropen af. We vierden dat Carlyn eindexamen deed. We zwaaiden haar na toen ze het huis uit ging om te studeren. Economie. Ze doorstond de studie met glans en kwam heel vaak thuis om te eten en onze maaltijden te beheersen met haar geagiteerde stem.

We hielden van Carlyn. Ze was onuitgesproken de baas van het gezin. Voor de jongens en voor mij brak ze zeer veel wetten. De tweeling die vijf jaar jonger was, maakte daar goed gebruik van: uiteindelijk waren ze haar dankbaar en kwam er een herwaardering. Mijn moeder huilde geluidloos, toen Carlyn de deur uitging. Ze zat soms in Carlyns kamer op het bed met een weemoedige uitdrukking op haar gezicht.

'Wij zijn er ook nog,' riep ik vaak opgewekt om de hoek van de deur, ik was toen pas tien.

Ze glimlachte uitnodigend naar mij. Ze trok me tegen zich aan en aaide wat onhandig over mijn rug. Het waren zeldzame momenten.

'Bij de oudste voel je alles denk ik het meest intens,' zei mijn moeder wazig.

'Als ik straks wegga, voel je gewoon niks meer.'

'Dwaas,' zei ze en ze veegde tranen weg die ik niet wilde zien. Altijd was er tumult geweest in huis. Voornamelijk door Carlyn die met snedige opmerkingen en onverholen kritiek het gezin uitdaagde. Niemand nam die rol over toen zij vertrokken was. Er was een vreemde stilte in huis, die de tweeling met veel muziek probeerde op te vullen.

'Wat een rust,' grapte mijn vader vaak wanneer hij in de avond achter zijn krant dook. 'Ik hoef nergens iets van te vinden.'

We waren allemaal op het grote feest bij Carlyns afstuderen. Ze was toen verliefd op Karel, die met een vlotte lach wist te vertellen dat hij en Carlyn snel zouden gaan trouwen. Carlyn glimlachte onbewogen, ze ontkende niets en bevestigde ook niets.

'We zien het wel, we horen het wel,' riep mijn vader nonchalant. Hij was trots op zijn oudste dochter.

Carlyn had al snel een belangrijke baan bij een bank en legde mij omstandig uit dat ze carrière zou maken en heel veel geld wilde verdienen. 'Ik wil totaal vrij zijn en alles kunnen doen wat ik wil, Branca,' zei ze, 'ik ben niet zo'n idealist als onze ouders. Ik wil leven.'

Het was op dat feest dat ik voor het eerst Marte ontmoette. Ze droeg een nauwsluitende zwarte jurk, zwarte laarzen en

een bloedkoralenketting met een groot gouden slot. Ik zag haar op de dansvloer. Niemand danste zo gracieus en verleidelijk als deze Marte.
Ik bleef maar naar haar kijken. Ik voelde me dom. Onhandig, een gans van dertien met te lange armen en benen. Met verhulde puisten onder een pony en een hoofd vol baldadige teksten.
Na dat feest ben ik begonnen met teksten op te schrijven. Korte mededelingen over alles wat ik voelde. Maar ze ergens achterlaten was net zo belangrijk als het schrijven zelf. Droppings, noemde ik ze. Het was Marte die de eerste dropping ontving. Daarna werd het een niet aflatende stroom.
De onbekende Marte met haar gracieuze bewegingen leek op de zwarte panter die ik vaak in Artis ging bekijken.
In de zwarte panter huist mijn hart. Tweedelig. Een roos en een revolver, schreef ik.
De tekst stopte ik in de handtas van Marte, toen ze weer ging dansen. Daarna verdiepte ik me in Karel en Carlyn die verstrengeld op de dansvloer bezig waren. Zijn handen lagen op haar billen, haar hoofd lag tegen zijn hals aan. Zijn lippen verdwenen in haar haren, haar lippen in zijn hals. Ik werd er compleet misselijk van. Ik kon me niet voorstellen toen dat ik ooit tot zulke bewegingen in staat zou zijn.

Ook Karel verdween na enige tijd weer. Menno kwam er voor in de plaats. En weer zette mijn vader de fles op tafel en klonk op zijn oudste dochter die inmiddels twee keer zo veel geld verdiende als hij deed en een rijzende ster was bij de bank. Menno zou binnenkort kandidaat-notaris worden en deed uitvoerig verslag. Hij keek stralend naar Carlyn en gaf een klein tikje tegen haar wang.
Ik huiverde van onbehagen Niets is zo erg als een man die een tikje tegen je wang geeft. Carlyn veegde het af, zoals je een zoen van een verkeerde tante of oom afveegt.
De tweeling was bij deze ontmoeting niet meer aanwezig.

Ook zij waren inmiddels het huis uit en sinds hun vertrek was voor een groot deel ook de muziek stilgevallen.

Ik was nog thuis met twee ouder wordende ouders en keek uit naar het moment dat ik zelf zou gaan. Mijn broers kwamen nog maar af en toe thuis. Mijn ouders leken met de dag bezadigder te worden en richtten al hun aandacht op mij, op mijn huiswerk, mijn vrienden en vooral op mijn verkeerde vrienden.

Mijn vader ging pantoffels dragen en had het over een vervroegde pensionering. Mijn moeder werd juist actiever en het leek mij alsof het hinderlijk was dat ik als laatste nog steeds thuis was. Dat de badkamer daardoor verkeerd werd gebruikt, de gootsteen nooit schoon, de flessen leeggedronken, en de rommel op mijn kamer nooit deugde.

'Nog twee jaar, dan heb ik mijn diploma,' zei ik vaak als de kritiek weer over mij werd uitgestort.

'Als je tenminste slaagt, dus daarvoor werkt,' zei mijn vader steevast.

Ik wist niet dat ouders zo saai konden worden.

Het moet omstreeks Pasen zijn geweest, ongeveer een half jaar geleden.

'Carlyn komt eten en ze wil dat we er allemaal zijn. Ze heeft nieuws,' zei mijn moeder.

'En precies op dat moment moeten wij weer opdraven zeker.' Mijn stem klonk onverschillig, maar natuurlijk was ik ook nieuwsgierig.

'Is die Menno er nog?' vroeg ik op een vervelende toon.

'Ja schat, die Menno is er nog, je weet toch dat je vader en ik nog geen maand geleden met Carlyn en Menno hebben gegeten.'

'Geen idee wat jullie allemaal doen.'

Pasen was een geschikte dag. Mijn broers zouden er ook zijn. De brunch. We stapten allemaal terug in het gezin dat we ooit waren. Paaseieren, paashazen, paasbrood, zelfs het ouderwetse geborduurde paaskleed lag op tafel.

Carlyn zat in zwierige kleren en met felrood geverfd haar aan de tafel en keek naar ons alsof ze ons voor het eerst zag. Het tafereel was een oude foto die paste bij de foto's die er al waren.

'En nu het nieuws,' zei Jacob.

Carlyn lachte en pelde met langzame bewegingen een ei. 'Ik ga trouwen,' zei ze vrolijk, 'waarschijnlijk in september. Het gaat een ouderwetse bruiloft worden met alles erop en eraan, feest, jurk, noem maar op.'

'Te gek,' zeiden mijn broers en begonnen een wedstrijd eieren eten.

Mijn moeder liep naar Carlyn en begon haar te zoenen. 'Die Menno,' zei ze, 'die komt dus als overwinnaar uit de strijd.'

'Een getrouwde dochter,' zei mijn vader plechtig, 'dat klinkt wel goed.'

'Het is wel anders dan jullie denken,' zei Carlyn rustig. 'Ik ga namelijk niet met Menno trouwen maar met Marte. Ik geloof niet dat jullie haar kennen.'

Het was een mokerslag op de paastafel.

'Een vrouw? Je gaat met een *vrouw* trouwen?' zei mijn vader. 'Je gaat dus met een vrouw trouwen,' herhaalde hij nog een keer.

Ik zag Marte voor me. Haar geraffineerde zwarte jurk. Haar dansen op het afstudeerfeest van Carlyn. Door haar zwarte ogen was ik gaan schrijven.

In de zwarte panter huist mijn hart. Tweeledig. Een roos en een revolver.

'Ik weet wel wie Marte is,' zei ik, 'ik herinner me haar van het afstudeerfeest. Ze is zwart, lang en lenig. Ze lijkt op een zwarte panter.' Iedereen keek naar mij.

Daarna was het vreemd stil.

Hoofdstuk 4

Voordat ik naar bed ga, leg ik de foto's uit op de vloer. Het zijn er zeventien. Meer dan de helft van de foto's zijn overbelicht en onzichtbaar. Ik kijk heel lang naar het gezicht van Marte. Ze is mooi, vol overgave en hartstochtelijk. Ik kijk naar de man wiens handen ze in haar handen houdt, verstrengelde handen. Ik probeer te ontdekken of de ring die Carlyn haar gegeven heeft aan haar vinger zit, een wit gouden ring met blauwe steentjes. Ik zie geen ring.

Ik staar naar de handen van de man die de borsten van Marte omvatten. Ze heeft kleine borsten die volkomen verdwijnen in de handen. Aan de mannenhand ontdek ik wel een ring.

Ik kijk naar de monden die elkaar kussen. Volmaakte monden. De foto van de verstrengelde benen bekijk ik uitvoerig onder de loep. De vreemde man heeft haar op zijn benen, krullend donker haar.

'Gluiperds,' zeg ik opeens hardop in de kamer.

'Marte is meer dan speciaal,' had Carlyn ooit gezegd. 'Ze is loyaal, ze is vindingrijk, ze is lief, genereus, uiterst muzikaal. Zoals die cello speelt, de huiveringen lopen over je rug. Ze speelt en bespeelt. Het is fascinerend. En ze schrijft als een frontsoldaat, meedogenloos, helder, krachtig. Bij alle kranten willen ze haar hebben. Maar Marte bindt zich aan niemand. Behalve aan mij.' Carlyn had hartelijk gelachen om haar eigen woorden. Ze had haar benen opgetrokken en was bij mij in bed gekropen. 'Ik kan jou zeggen, klein zusje, het is wonderschoon om iemand lief te hebben die je zo betovert. Marte is echt heel bijzonder, dat heb ik al eerder gezegd, ik ben nog nooit zo verliefd geweest.'

Ik leg de foto's in een rij, schik en herschik. Zeventien heldere foto's en vervolgens een hele reeks overbelichte foto's. Waar zijn ze gemaakt? Waarom werden de andere overbelicht?

De achtergrond is niet meer dan een ouderwetse leunstoel, waar de vreemde man in zit met Marte op zijn schoot. De muur achter hen is wit en zonder enige versiering. Op de vloer liggen houten planken. Meer is er niet te zien. Op een van de foto's staat in de hoek een groot ouderwets hobbelpaard.

'Je hebt mijn zus gekaapt en je bedondert haar. Je bent geen geraffineerde lipsticklesbienne, je bent een ordinaire versierder. Je moet opdonderen, zwarte panter,' hoor ik mezelf zeggen.

Maar ik pak weer de foto waar de vreemde man de borsten van Marte omsluit zodat ze onzichtbaar zijn en daardoor weer heel merkwaardig aantrekkelijk. Ik betrap me erop dat ik die borsten zou willen zien. Die gedachte schokt.

'Slaap je al, Branca?'

Ik hoor mijn moeder aan mijn deur. Ik realiseer me dat mijn licht nog brandt en dat ik moeilijk nee kan zeggen. Met een razend snelle beweging schuif ik de fotoserie onder mijn bed. 'Nee ik slaap nog niet, ik ben aan het leren.'

Soms vraag ik me af of ik me zorgen moet maken dat ik zo makkelijk lieg.

De deur gaat langzaam open en mijn moeder verschijnt in haar ochtendjas. Niets zo erg als moeders in ochtendjassen. Er zouden helemaal geen ochtendjassen moeten zijn, bedenk ik en ik pak een boek van mijn tafel waar ik zogenaamd in kijk.

'Wat gezellig dat je nog niet slaapt. Ik piep even bij je, even maar. Je moet natuurlijk leren.'

'Aardrijkskunde, ik haat aardrijkskunde.'

'Dom,' zegt mijn moeder, 'niets is zo mooi als aardrijkskunde.'

Het is altijd prijs, de vakken die ik haat, daar heeft mijn moeder een grote liefde voor. En andersom. Soms denk ik dat ik een koekoeksjong ben, verdwaald, een ei dat ze in een verkeerd nest hebben gelegd. Eigenlijk toch een vergissing.

'Ach Branca, waar zouden de bruiden toch zijn. Het is zo gek dat het allemaal voorbij is. We hebben zo naar die bruiloft toegeleefd. Het is net alsof Carlyn voor de tweede keer het huis is uitgegaan, maar nu definitief.'

'Definitief is nooit iets,' brom ik onverschillig. 'Maar in ieder geval zijn ze ver weg, daar waar de oceaan blauw is, de avonden zwoel en de dieren nog zeldzaam. Een soort bounty reclame, dat zeiden ze toch. Dat ze naar iets dergelijks zouden gaan. Precies zoals het bij de bruiloft past.'

'Spot je nou met je zus?'

'Nee hoor, ik zag het gewoon voor me.'

'Ik ben zo nieuwsgierig waar ze echt zijn,' mijmert mijn moeder, 'dat niemand van ons dat nou weet. Tante Resel belde nog en de moeder van Marte en Carlyns beste vriendin, Nikkie. Ze hebben het allemaal zo fantastisch gevonden. Iedereen was onder de indruk. Het was ook stralend. Dat moment in het stadhuis toen ze er zo samen aankwamen en toen die broer van Marte hen toezong. Wonderschoon.'

Mijn moeder verliest zich in de honderden ontroerende foto's die voorbij getrokken zijn. Andere foto's branden onder mijn bed. Ik voel een dodelijke vermoeidheid in mij opkomen.

'Wat denk jij, Branca zouden ze aan kinderen beginnen? Heb jij ooit een glimp van dat verlangen opgevangen?'

'Geen glimp, geen krimp. Niets, niente en als je het mij vraagt, beginnen ze er niet aan. Ze houden teveel van het lekkere leventje. Ongebonden, geld en verrukkelijke verkwisting, daar gaan ze voor. Ik zie ze geen van tweeën bij de crèche staan en op zaterdagochtend naar de kinderboerderij gaan. Nee mam, misgegokt. Je zult het van je schoondochters moeten hebben. Want ik denk er ook niet over.'

'Ach kind, je weet niet waar je het over hebt. Je bent nog zo jong.'

'Die zin ken ik, maar vergeet niet dat ook ik begin te groeien. Nee mam, ik moet je teleurstellen, bij mij geen pampers en geen kinderstemmen. Bij mij ga jij nooit op herhaling.'

Ach, zeggen ze, kind, je weet niet waar je het over hebt. Maar ze ver-
geten dat je je afvraagt: zou het waar zijn wat ik zie? Oh laat het niet
waar zijn wat ik zie!

Die zin had ik in vele handschriften opgeschreven en in mijn
moeders portemonnee gestopt, in haar mantelzak, in haar
boodschappentas, onder haar haarborstel gelegd, om haar
tandenborstel gefrommeld. Ik had mijn eigen dropping, een
klein blauw velletje, een keer teruggevonden, achter in haar
agenda geplakt. Ze had er nooit een woord over gezegd.
'Je hebt gelijk,' zegt mijn moeder, 'we vergeten te vaak dat jij
zonder dat we er erg in hebben ook gewoon groot aan het
worden bent.'
'Super intelligent mam.'
Mijn moeder staart weg en is eigenlijk uit mijn kamer verdwenen. Ze zit vast aan Carlyn zoals de vleugels van een
vlinder aan zijn lijf zitten. Ze vliegt mee. Ze denkt mee, ze
voelt mee. Carlyn heeft er alles aangedaan om haar af te
schudden. Maar moederlijm is de meest heftige lijm die er
bestaat. Ik ben opeens heel erg blij dat ik de min of meer
vergeten jongste ben. Maar wat voelt ze, mijn moeder?
'Hoe vind jij Marte nou eigenlijk mam?' vraag ik nonchalant.
Ze schrikt wakker uit een droom. Mijn moeder. Ze is nog
bezig de balans op te maken van de bruiloft. Ze vraagt zich
terugkijkend af of de speech van papa nou echt wel goed
was en of haar eigen woorden niet al te sentimenteel waren.
Ze wil tegen mij aan praten en alles nog een keer beleven en
nog een keer en nog een keer. Mijn moeders ogen zijn net zo
ijlblauw als die van mijn zus. Ze kijkt me een beetje
bevreemd aan. 'Hoe bedoel je dat nou hoe ik haar echt vind?
Ze is toch fantastisch?'
'Ze is fantastisch mam,' zucht ik overdreven, 'ik denk trouwens dat ze op de eilanden in de Indische oceaan zitten of

gewoon op Schiermonnikoog, daar zie ik ze ook nog toe in staat. Ik moet nu leren, mam.'

'Natuurlijk kind, ik zit je maar van je werk af te houden, ik ga slapen.Wat vond je, Branca, was het eten goed op de bruiloft, niet te overdreven?'

'Het was top, ik heb nog nooit zoveel kreeft en oesters gegeten. Jullie hebben een reuze diner aan laten rukken.'

'Dat zei tante Resel ook al,' glimt mijn moeder. 'Het was een bruiloft van klasse, dat zei ze.'

'Nou die goedkeuring heb je weer binnen.'

'Ik ga naar papa, kind, maak het niet te laat.'

Zodra ze weg is, schuif ik ogenblikkelijk de foto's onder mijn bed vandaan en bekijk ze opnieuw. Dan bel ik Thomas. Maar er wordt niet opgenomen. Ik bel nog een keer en verbaas me dat er geen antwoordapparaat aanstaat. De wereld is knap ingewikkeld.

Ik schuif de foto's weer in de envelop. Ik heb zin om mijn vriendinnen alles te vertellen en hun de foto's te laten zien. Hoe meer mensen meedenken hoe beter. Wanda heeft een speurneus en Erica houdt van logica.

Op school zitten is vermoeid afwachten
Tot het leven echt gaat beginnen
Deze dropping heb ik vanochtend bij Damker in zijn agenda geplakt in een onbewaakt ogenblik toen er niemand in het lokaal was en zijn agenda nog opengeslagen lag. Opeens verlang ik ernaar dat ik ook een verhouding heb, het liefst met een man zoals die van de foto's. En dat er bij mij iemand vol verrukking zijn hand op mijn dijen legt en mij zo verschrikkelijk hartstochtelijk zoent dat mijn hele lijf naar hem toe wil. Mijn hele lijf. Alles. Ik wil het nu eindelijk wel eens doen. Wanda heeft het gedaan. Erica heeft het gedaan. Mijn broers doen niet anders, mijn zus deed het al toen ik nog in de box stond. Mijn ouders doen het. Als ze het nog doen. Ooit moeten ze het in ieder geval gedaan hebben. Twee keer per

week is het gemiddelde, heb ik ergens gelezen.

Alleen ik doe het niet. Nog steeds niet.

Mijn telefoon gaat. Het is Thomas. Ik voel dat het bloed in mijn wangen kruipt.

'Ik heb nog meer nieuws,' zegt Thomas, 'mijn neef Elwoud belde mij op. Dat is de zoon van de andere zus van Marte, weet je nog?'

Ik zeg dat ik het nog weet. Ik hoor de adem van Thomas door de telefoon klinken. Het zweet breekt me nu echt uit. Mijn hand trilt.

'Elwoud vertelde mij dat hij een eigenaardige brief van Marte heeft gekregen, na de bruiloft gepost. We hebben morgen afgesproken bij Vertigo in het Vondelpark om vier uur. Ik heb hem gezegd dat ik ook iets eigenaardigs had ontdekt. Ik heb niet gezegd wat.'

'Wat stond er in die brief?'

'Weet ik niet. Dat wilde hij niet zeggen.'

'Vreemd.'

'We doen nooit iets met elkaar, we kennen elkaar nauwelijks. De twee zussen van Marte mogen elkaar niet. Ik snap absoluut niet waarom hij mij opeens belt. Ik wil graag dat jij erbij bent. Het wordt steeds spannender.'

'Ik ben er bij,' zeg ik koel terwijl ik bijna barst.

'Jouw geur hangt nog in mijn bruiloftskleren,' zegt hij, 'een mengeling van saffraan en rozen.'

'Nou, nou,' zeg ik, 'en dat voor iemand van een vrachtwagen.'

'Ik zie je morgen,' zijn stem klinkt flemerig.

'Ik wil het eindelijk eens doen,' zeg ik als ik de verbinding heb verbroken. 'Misschien wel met jou.'

Hoofdstuk 5

'Dit is wel een verrassing,' had mijn moeder gezegd op die bewuste paasbrunch.

Ze was opgestaan, glimlachte onhandig en had lang nodig bij de koffiepot in de keuken, waarmee ze uiteindelijk weer terugkeerde.

Inmiddels waren mijn broers losgebroken in een litanie van vragen.

'Wie is die Marte?'

'Ben jij lesbisch dan?'

'Wist je dat dan niet eerder?'

'Waarom zo snel trouwen?'

'Waarom trouwen zonder dat wij haar ooit gezien hebben?'

'Wat doet die Marte?'

'Valt zij ook op mannen? Zijn jullie bi?'

'Hoe zit dat?'

In de tussentijd aten mijn broers eieren. De wedstrijd was nog steeds aan de gang. Wart was aan zijn achtste ei, Jacob bleef achter bij zes. Carlyn at onverstoorbaar verder.

Eigenlijk was ik de enige die geen vragen had. Ik had Marte maar één keer gezien. Door haar was mijn leven veranderd. Maar niemand wist dat. Zij was een symbool voor mij geworden, een overstap naar daden. Niet meer alleen domme jongste. Ook ik had wat te zeggen. Door haar had ik een taak op deze wereld: teksten maken, hamerslagen uitdelen. Confronteren.

Ik bloosde nu ik hoorde dat zij ook schrijver is, journaliste nog wel. Alles wat Carlyn daarvoor had gedaan, smolt in mijn ogen weg als sneeuw in de zon. Alle verliefdheden van Carlyn waren voorbeelden voor mij geweest, griezelige en mooie voorbeelden. Voorbeelden van verlangens, uit een andere wereld. Ook voorbeelden van ergernis. Een hele rij jongens trok in een flits voorbij, Karel en Menno als laatste.

De zon maakte de sneeuw tot een vieze grijze brei, niets van de stralendheid bleef bewaard. Ik zag alle jongens die ooit met Carlyn waren gewoon zomaar wegsmelten, daaruit kwam Marte tevoorschijn.

Ik nam ook nog een ei. Ik strooide uitvoerig het zout en pelde. Daarna at ik mijn zoveelste stuk paasbrood met spijs. Ik wipte het rolletje spijs eruit en smeerde het over de hele boterham, daaroverheen een laag gezouten roomboter. Ik hapte gretig. Iets wond mij mateloos op, waarschijnlijk de spanning die over de familie neerstreek. Maar ook de persoon van Marte die deel zou gaan uitmaken van die familie. Mijn moeder hikte zenuwachtig. Hier wordt voor het eerst iets doorbroken, dacht ik. Een norm, een code, een rijtje denkbeelden. Kinderen krijgen, is verwachten dat kinderen doen wat jij van ze verwacht. Zodat je niet teleurgesteld kan worden. Dat doen ouders. Hun kinderen moeten goed zijn en veel leren en vooral gelukkig zijn en verliefd worden en met die partner moet je als ouders dan ook weer gelukkig zijn. En dan moeten er kinderen komen en begint de cirkel weer opnieuw.

Ik knipperde met mijn ogen en keek naar mijn familie. Carlyns haar was afschuwelijk rood, blond stond beter. Langzamerhand wist ik niet meer welke kleur haar eigen kleur was. Mijn broers waren opgewonden, maar probeerden zich in te houden.

Pas toen deed mijn vader zijn mond weer open. Hij leek eerst dichtgeschroefd, een schuine streep vol onbehagen. Hij at niet meer, hij dronk geen slok. Zijn mes scandeerde mee op de vragen die mijn broers stelden. Antwoorden kwamen niet.

Carlyn leek voorlopig geamuseerd door alle ontsteltenis. 'Wil jij koffie, pap?' vroeg ze en het ontging me niet dat er iets onheilspellends in haar stem doorklonk.

'Ja, ik wil graag koffie,' zei mijn vader en hij staarde naar zijn dochter.

Ik vond mijn vader opeens een soort vreemdeling. Een wat dikke man met te grote armen in een grijs pak. Ik vond zijn overhemd een miezerige blauwe kleur hebben en zijn das raar om zijn nek geknoopt. Mijn vader is een bange man, dacht ik. Dat besef drong opeens op een hele andere manier tot mij door.

'Vertel nou eens wat meer,' zei mijn moeder tegen Carlyn. Haar stem was ijzig. De uitbundige zoenen die ze haar dochter na de aankondiging van de bruiloft had gegeven waren opeens uit een andere tijd, hoewel alles zich afspeelde in een aantal minuten.

'Voordat jij begint,' zei mijn vader, zijn stemverheffing deed de jongens zwijgen. Ze knipoogden naar mij en leunden achterover en wipten met hun stoelen. Ik roerde te hard in mijn koffie zodat die over de rand vloog en op het paaskleed spette.

'Verdomme,' zei mijn moeder binnensmonds.

Carlyn keek onbewogen.

'Voordat jij begint,' herhaalde mijn vader, 'moet ik jou zeggen dat ik dit een slag in mijn gezicht vind.'

Even was er een ijzige stilte. Pijlsnel wikten we als familie de mogelijkheden over wat zich aan het voltrekken was.

'Als jij dit een slag in je gezicht vindt, dan moet ik maar niet beginnen om iets te vertellen,' zei Carlyn.

Haar glimlach was van fluweel. Ik verdacht haar ervan dat ze die van Marte gestolen had. Een raadselachtige glimlach met een licht hautain optrekken van de wenkbrauwen.

'Zeg pa, kom nou, we leven in de eenentwintigste eeuw. Een slag in je gezicht. Maak het,' zei Wart. Zijn ontwapende lach had al veel omstandigheden verzacht binnen de familie. Hij hief zijn halflege glas met jus d'orange in de lucht naar Carlyn en zei: 'Hoe het ook zij, wie die Marte ook mag zijn, jij wilt met haar trouwen, dus ik ga een fles champagne halen, op Carlyn, proost allemaal.'

'Hoor eens even, Wart, over mijn gevoelens valt niet heen te lopen. Laat die champagne nog maar even zitten.'

'Even,' zei Wart.

'Ik weet wie Marte is,' zei ik weer, ook ik verhief nu mijn stem die zelfs een beetje gewichtig klonk. 'Ik zie haar nog voor me op je afstudeerfeest. Zwart, lang glad haar en een prachtig gezicht. Een soort zwarte panter. Ik begrijp dat je daarop valt.'

Ik hief het glas van mijzelf met de aangekoekte randen van de jus d'orange. Het sap was die ochtend ijverig door mijn moeder geperst, nog niet wetend waar het voor dienen zou.

'Dank je, marmot,' knikte Carlyn zakelijk.

Daarmee was ik weer terug bij de grond. Nog steeds klein en onaanzienlijk. Ik besloot me niet meer in te spannen en ook niets meer te zeggen.

'Waarom hebben wij haar nooit eerder gezien en waarom wisten wij niet dat het met Menno uit is?' vroeg mijn moeder.

'Om de doodeenvoudige reden dat ik mijn eigen leven leid. Maar goed, ik ben hier gekomen om jullie te vertellen dat Marte al een hele tijd mijn grote liefde is. Ik denk inmiddels al vier jaar. Alleen ik wist het zelf niet. Ik benoemde het niet zo. Ik wist alleen dat ik met al die andere relaties steeds weer op een punt van verveling en ergernis kwam. Bij Marte nooit. Marte is magistraal, ze is uitbundig en ze is super in alles wat ze doet. Wij hebben een aantrekkingskracht en waardering voor elkaar die alles overstijgt. Wij willen dat gestalte geven. Dus willen we ook trouwen. En snel. En we willen niet zomaar een bruiloft, we willen een fantastische bruiloft: groots, stralend en om nooit te vergeten. Daarna gaan we op reis. Wij denken aan september. Dat is over een klein half jaar dus jullie hebben volop de gelegenheid om Marte te leren kennen. Maar pap, als het een klap in je gezicht is dat je dochter met een vrouw gaat trouwen blijf dan vooral thuis. Ik zal je missen, maar ik wil een feest dat staat en geen geërgerde gezichten.'

'En wie gaat dat allemaal betalen, zo'n grootse bruiloft,' vroeg mijn vader en hij trok zijn neus op. Dat vond ik altijd afstotend. Het was de domste vraag die ik hem ooit heb horen stellen.

'Wij betalen alles zelf, maak je daar geen zorgen over,' zei Carlyn luchtig.

'Amen,' zei Wart, 'toch tijd voor de champagne zou ik denken.'

Hij was zo weer terug met zes glazen en een fles. Hij opende de fles met een geroutineerd gebaar en de kurk knalde tegen het plafond, terwijl het paaskleed de eerste stroom opving.

'Heb je een foto?' vroeg Jacob toen we ieder met een glas in de hand stonden.

'Nee,' zei Carlyn, 'binnenkort zien jullie haar.'

Mijn moeder verslikte zich in de champagne. Ze verdween weer langdurig naar de keuken. Mijn vader stond heel lang voor het raam toen Carlyn weer verdwenen was.

Hoofdstuk 6

Een half jaar hebben we over de bruiloft gesproken. Voorpret.

Vandaag is de bruiloft drie dagen oud. Napret.

Drie mensen zijn op weg naar Vertigo. Twee neven, die ongeveer even oud zijn, allebei zonen van de oudere zusters van de ene bruid. Van Marte.

Elwoud, met wie ik even heb gedanst en die mij op de bruiloft vertelde dat zijn tante Marte altijd al een groot voorbeeld is geweest. Elwouds moeder kan haar zuster niet uitstaan en daar werd ze zeer aantrekkelijk door. Dat zei Elwoud.

En Thomas, met wie ik heel veel gedanst heb en die mij aan het eind van de avond zoende. Hij deed dat vrijblijvend en nonchalant en zijn hand die achter in mijn hals lag, hield mij slapjes vast. Toen hij dat deed, begon ik hem te zoenen op een manier waar hij van schrok. Opeten, zou Erica zeggen. Je moet ze gewoon opeten, de jongens; eerst je eigen angst overwinnen, dan worden ze pas echt leuk. Het werkte. Thomas werd aandachtig. Hij zoende anders en net toen er iets meer zou kunnen gaan gebeuren, riepen de bruiden dat ze aan hun zelfgeschreven en gecomponeerde danklied begonnen en moesten wij naar binnen om dat niet te missen. 'Deze strandtent vinden we terug,' fluisterde Thomas toen in mijn oor en zijn hand beroerde heel even mijn billen waardoor ik drie stappen harder ging, terwijl ik dat gebaar eigenlijk nog een keer wilde voelen.

Thomas dus, hij is de oudste zoon van de oudste zus van Marte. Zijn moeder is ook tegen Marte. Ze zijn simpelweg jaloers op haar, die zussen. Dat beweerde Thomas.

'Marte doet gewoon wat ze wil, altijd gedaan. Marte is een nakomer. Marte doorbreekt alle wetten waar mijn moeder en ook die van Elwoud voor hebben moeten vechten. Maar ze zijn alledrie apart en eigenwijs in hun soort, die zussen en ze hebben mijn oom Rens, de enige broer in de familie volkomen weggevaagd. Weet je hoe ze hem noemden: Krullebollie. Hij had niets in te brengen, deze broer en hij zal niet voor niets zijn geëmigreerd naar Australië. Maar Marte wilde dat Krullebollie verscheen op haar bruiloft. Dat deed hij en hij nam een onbekende vrouw en vier zonen mee. Niemand had hen ooit gezien.'

Familie Krul. Ze waren op z'n minst opzienbarend en ze zongen een onvergetelijk lied. Dat vertelde Thomas allemaal aan mij nadat ze dat lied hadden gezongen. Daarna volgde onze eerste kus.

Drie mensen op weg naar Vertigo. Twee neven van de ene bruid. Een zus van de andere bruid. Ik voel hoe mijn voetstappen over de tegels gaan. Ik zet mijn fiets aan de rand van het Vondelpark en loop het laatste stuk. Het is er druk en warm, terwijl het al september is. Overal skaters, een ijsman belt opdringerig en mensen stromen toe. De grasvelden zitten vol. Honden, kinderen, kinderwagens met vaders en moeders erbij, oude mensen, jonge mensen, het is een grote bonte verzameling mensen.

Ik loop het terras op. Het is barstensvol en nergens zijn lege stoelen te bekennen. Maar achteraan wenkt een arm en roept iemand mijn naam. Het is Thomas. Ik zwaai terug en dan zie ik Elwoud die in een hemelsblauw overhemd met opgerolde mouwen, zijn harige onderarmen laat zien.

'Ha die Branca,' zegt hij en hij zoent mij hartelijk. Broerachtige zoenen. Wat vindt hij van mij? Waarom vraag ik mij bij elke jongen af wat hij van mij vindt? Draai het om, zegt Erica altijd. Wat vind jij van hen? Voorlopig vind ik niets, want Thomas omarmt mij en zoent mij niet zoals broers dat doen. Zijn volle lippen zijn direct op de mijne en ik voel zijn tong in mijn mond.

'Koffie?' informeert Elwoud.

Ik knik en ga tussen hen in zitten. Ik voel dat ik bloos en met

een afgekeken gebaar van Carlyn rits ik mijn truitje iets los-
ser en veeg de haren uit mijn gezicht.

'Jezus wat een hitte, en dat in september,' zeg ik.

'Jezus, wat een bruiloft,' zegt Elwoud, 'in alle huizen woelt
het nog na, hoe is dat bij jullie?'

'Behoorlijk pittig, mijn vader is blij dat zijn collega's zo leuk
hebben gereageerd, volgens mij was hij toch bang dat hij
erop werd afgerekend dat zijn dochter met een vrouw
trouwde. Mijn moeder is blij dat het diner zo geslaagd was
en dat iedereen applaudisseerde na haar speech. Ik ben blij
dat het nu eindelijk eens voorbij is en we over iets anders
kunnen praten.'

'Vergeet het,' zei Thomas.

'Vergeet het,' zei Elwoud. 'Bij ons thuis is het niet veel beter.
Ik ging net nog even langs huis en daar waren ze bezig de
ontwikkelde foto's te bekijken die mijn broer heeft gemaakt.
Ze lagen er in tweevoud en voor het gemak heb ik ze maar
even meegenomen. Dus moet ik straks weer langs voordat
het opgemerkt wordt. Mijn moeder jubelde dat ze nog nooit
zulke bijzondere bruiden had gezien en dat ze dacht dat die
jurk van Carlyn wel tweeduizend euro had gekost. Vertel op
Branca, heeft die jurk zoveel gekost? Mijn familie zou daar
zeer van gloreren.'

'Misschien wel meer,' zeg ik onverschillig. 'Mijn zus verdient
geld zoals water uit een douche stroomt. Die weet geeneens
wat iets kost, laat staan dat ik het weet.'

'Mijn moeder voelt zich verongelijkt, zoals altijd als het over
Marte gaat. Het is treurig wat bruiden aanrichten,' knikt
Thomas, 'zo is het dus bij ons.'

'En ook wat ze verzoenen,' zeg ik, 'mijn moeder en haar
zuster bijvoorbeeld, tante Resel, ze hadden elkaar in geen
tien jaar gezien, maar door de uitnodiging voor de bruiloft
zijn ze allebei gesmolten en gewoon weer in elkaars armen
gerold. Kortom de breuk is gelijmd en tante Resel heeft zich
de benen uit het lijf gedanst.'

'Dat is die met die spierwitte kop?'

'Precies die spierwitte kop. Ik vraag wie ik wil, zei Carlyn, en wie iemand niet verdraagt blijft maar uit zijn of haar buurt. Het is mijn bruiloft.'

'Ik mag die zus van jou wel, wat een tof mens is dat,' zegt Elwoud.

'Helemaal mee eens,' knikt Thomas opgewekt.

Ik ben weer terug in mijn marmottenstaat. Is er iemand die mij leuk vindt? Is er ooit een tree hoger dan Carlyn te bedenken? Maar dan zie ik de grote vrachtwagen weer voor me die deze week voortdurend een rol speelt in een reclame op de televisie. Nog even en ik rijd haar in die wagen, hoog in de cabine, keihard voorbij. Dag modelzuster, maak het lekker op die stomme bank van je, tel je centen. Ik kies voor vrijheid.

'Waar ben je?' vraagt Thomas.

'Ik zat even in een vrachtwagen, zo een met zestien versnellingen en een schitterende knuppel.'

'Daar gaat ze later op rijden,' knikt Thomas.

'Echt?' vraagt Elwoud ongelovig.

'Echt,' knik ik, 'maar nu terzake, waarom zijn we hier?'

'Wij zijn hier om dit,' zegt Elwoud en spreidt een brief uit, 'hier lezen jullie maar.'

Thomas en ik buigen ons samen over de brief, ondertussen ligt Thomas' hand losjes op mijn dijbeen en doe ik net alsof ik dat niet merk.

Lieve Elwoud,

Als je dit leest, zijn wij al weg. Ik stuur je dit briefje omdat ik vergeten heb een belangrijk klusje te klaren voordat wij vertrokken. In alle drukte, zo gaat dat. Ik denk dat jij het beste begrijpt dat er soms dingen zijn die niet verder aan de familie moeten worden verteld.

Je vindt hierbij een betaalpasje en mijn pincode. Zou jij duizend euro van mijn rekening willen halen en die afgeven op het volgende adres.

Natuurlijk niet in de bus gooien, maar wel even afgeven. En zeggen dat het van Marte is.
Het is een vergoeding voor iets wat ik daar heb gekocht, een nikon foto-toestel met tas, de man zou het geld komen halen en ik ben hem mis-gelopen.
Alsjeblieft en als je erg in geldnood zit, wat jullie altijd zitten, pluk er dan nog honderd euro voor jezelf af, als dank.
Ik schrijf dit briefje in de wc op Schiphol en gooi het straks op de bus. Ik wil Carlyn niet opzadelen met stomme vergeten klusjes. Tot over een maand, lieve groet Marte.

'En?' vragen Thomas en ik gelijk.
'Ik voldeed aan het verzoek. Het briefje kwam op mijn kameradres. Dat is niet zo gek, zo nu en dan gaan Marte en ik wel eens uit eten. Dus, ik haal het geld en breng het naar het adres. Tot mijn grote verbazing doet daar iemand open, een man van een jaar of veertig die...'
Ik voel de vingers van Thomas zich vastzetten op mijn dij-been. We kijken elkaar even aan en kijken dan weer naar Elwoud.
'Die man pakt het geld aan,' vervolgt Elwoud. 'Ik zeg nog, "het is voor het nikon fototoestel van Marte. Ze is het ver-geten door al het bruiloftsgewoel."
"Voor haar kind zal je bedoelen," zei de man, en smeet de deur voor mijn neus dicht.'
'Voor haar kind?'
We schuiven dichter naar elkaar toe. Ik slurp van de warme koffie en denk aan de bruiden die zingend en lachend de trouwdag hadden doorgebracht,
'Ik bel weer aan,' vertelt Elwoud, 'die man doet niet meer open. Ik ga een paar uur later weer. Niets. Ik zoek het tele-foonnummer op van de naam die op de deur staat. Geen gehoor. Ik ga vanochtend nog een keer. Doet er een heel andere man open en ik zeg: "ik kom namens Marte." Die man zegt: "Marte is weg, lummel, weet je dat niet.

Honeymoon, haha laat me niet lachen." Weer een deur die voor mijn neus wordt dichtgesmeten.'

We schuiven nog dichter naar elkaar toe. Thomas legt een arm om mij heen.

'Toen heb ik Thomas gebeld,' besluit Elwoud.

Thomas knikt. 'En toen zei ik tegen jou dat wij ook iets gevonden hebben. Branca en ik.'

Ik haal de map met foto's tevoorschijn en geef ze in handen van Elwoud. We kijken naar zijn gezicht als hij zijn tante Marte bekijkt.

'Dit is geen zuivere koffie,' zegt hij langzaam voor zich uit. 'Het gekke is, die man komt mij bekend voor, maar ik weet even absoluut niet wie het is. Wat een smerige rotfoto's.'

'Wij moeten dit uitzoeken,' zegt Thomas, 'een kind... Marte een kind, ik kan het niet geloven. Denk je dat die vent loog?'

'Ik weet het niet,' zegt Elwoud, 'ik weet het echt niet.'

'We leggen een document aan en we houden het tussen ons drieën, anders loopt het uit de hand,' zegt Thomas opeens zakelijk.

We zweren met de handen op elkaar dat geen verder familielid mag worden ingelicht. Ik realiseer mij op dat moment dat mijn vriendinnen geen familieleden zijn en ik laat het dan ook bij deze afbakening.

'We gaan interviews houden onder alle bruiloftsgasten. Zogenaamd maken we een boek over onze after-feelings, zoiets van: van een bruiloft komt een bruiloft... Weet ik veel. En we moeten nieuws vergaren over Marte,' oppert Thomas 'En misschien ook over Carlyn,' zeg ik.

Op dat moment voelt het alsof ik mijn eigen zus verloochen. Ik ga er rechter van zitten.

Voortaan zal ik geen marmot meer zijn.

Hoofdstuk 7

Het huis aan de Bredeweg. Ik heb hier mijn hele leven gewoond. Ik weet niet anders. Elke hoek is mij vertrouwd en sinds het vertrek van Carlyn heb ik haar kamer in de nok van het huis, twee lange trappen op. Het is een fantastische kamer met een schuin dak en een groot raam dat op de tuinen kijkt en tot mijn vreugde is er een eigen wastafel. Mijn broers zitten een etage lager, mijn ouders slapen in het souterrain.
Mijn vriendinnen komen graag bij mij. Omdat het hier rustig is. Omdat mijn moeder altijd lekkere dingen bakt, omdat niemand ons kan horen, zo hoog en ver weg in mijn kamer.
Ik ken Erica en Wanda al vanaf de basisschool. We zijn alledrie naar de havo gegaan en vinden dat meer dan genoeg, behalve Wanda die archeologie wil gaan studeren. We sporten veel en noemen onszelf de bbb-barbaren. Wat betekent dat we voornamelijk uit zijn op de verbetering van billen, buik en borsten. Niemand van ons is tevreden over ons uiterlijk. Maar we wapenen ons met wat we willen gaan doen en ons uiterlijk niet te laten overheersen. 'Iets betekenen,' zegt Erica altijd, 'uitstraling, daar gaat het om.' Zij wil sportlerares worden.
We weten bijna alles van elkaar. Niet alles. Mijn droppings weten ze niet, die zijn alleen maar van mezelf. Aan mijn vriendinnen heb ik ook nooit droppings weg te geven.

Vijgen hebben een erotiserende werking wanneer je er maar lang genoeg naar kijkt

Deze dropping heb ik vandaag snel in de zak van Thomas gestopt toen hij mij bij het afscheid zoende en we de volgende afspraak maakte. Ik voelde zijn geslacht tegen mijn buik en ik was zo opgewonden dat ik niet naar binnen durfde en eerst nog een rondje ben gaan lopen. Daarna belde ik Erica. 'Hou je vast,' zei ik, 'er is een geheim en ik heb jullie hulp nodig. Meedenk-hulp.'

'Ik kom,' zei Erica.

Ik belde Wanda. 'Ik ben al onderweg,' riep ze.

Binnen tien minuten zaten we met een grote pot thee, koeken en chocolade tussen ons in op mijn bed.

'Er voltrekt zich waarschijnlijk een ramp,' zeg ik dramatisch. Ze vertrekken allebei geen spier. Onze rampen zijn talrijk. Zo snel zijn we niet meer onder de indruk. Maar als ik de foto's uitspreid en vervolgens meedeel dat Elwoud heeft verteld dat Marte waarschijnlijk een kind heeft, zijn de reacties bepaald heftig te noemen. Wanda doet haar schoenen en sokken uit en begint heel hard op mijn bed te dansen. Erica loopt naar de spiegel en kijkt langdurig naar zichzelf.

'Eigenlijk verbaast het me niet, die Marte is wel een sluwe vos. Zo een waar je alles van kunt verwachten. Een kind. Pffff, ik wil eigenlijk ook een kind.'

'Hou op,' zegt Wanda bazig. 'We hebben het over Carlyn ja, die wordt bedrogen, die weet niet waar ze mee getrouwd is. Die is er met al haar slimme hersens ingelopen. We hebben het dus nu even niet over jou.'

'Carlyn ligt lekker op een eiland te vozen en denkt dat ze gelukkig is,' roept Erica.

'Rustig,' zeg ik streng, 'het is mijn zus en ik wil dat jullie meedenken over wat we moeten doen. Misschien is het helemaal niet waar van dat kind, weet jij veel of die man liegt, misschien gaat het om geld, of om heel iets anders.'

'Misschien is het kind ook wel van Carlyn, is het kind van hen samen,' veronderstelt Erica.

'Absoluut niet, Carlyn wil geen kinderen. Dat heeft ze altijd gezegd,' mijn stem klinkt woedend.

'Ze zeggen zoveel, uiteindelijk wil iedereen een kind.'

'Ik niet.'

We kijken alledrie weer naar de foto's.

'Het zal je gebeuren dat dat je bruidegom, pardon bruid is,' zegt Wanda. Haar stem is opeens ernstig. Daardoor voel ik tranen in mijn ogen. Ik denk aan al die keren dat Carlyn haar loflied over haar Marte had gezongen. Hoe vaak had ik gedacht: hou eens op, nou weet ik het wel. Wat zijn verliefde mensen stomvervelend, ze zeggen iedere keer hetzelfde.

'Jij zat dus met die Elwoud en die Thomas,' vraagt Wanda.

'Ja,' zeg ik.

'Bij Vertigo, Elwoud had die de bewuste brief bij zich. En Thomas en ik hadden dus die foto's bij ons.'

'En Thomas had dat rolletje gevonden?'

'Ja, na de bruiloft, bij het opruimen.'

'En jij gelooft wat die Thomas zegt?'

'Ja, waarom zou ik het niet geloven. We hebben samen het rolletje weggebracht om het te laten ontwikkelen.'

Ik voel hoe mijn wangen bloedrood worden. Ik voel weer Thomas' lijf tegen mijn lijf.

'En jij vindt die Thomas zeker hartstikke leuk?' informeert Erica. Haar gezicht is vlak bij het mijne en ze schudt me heen en weer. 'Ja, is dat zo?'

Ik zeg niets. Het is lang stil tot ik zeg: 'We zitten hier voor Carlyn en voor Marte.'

'Natuurlijk,' knikt Wanda. 'We helpen denken, maar we vinden jou het allerbelangrijkste. Gezoend? Die Thomas. We nemen alles door, dus ook jou.'

'Gezoend, ja,' brom ik nauwelijks hoorbaar.

'Goed gezoend?'

'Heel goed gezoend.'

'Mooi zo, nu gaat het gebeuren, ik voel het,' beweert Wanda.

'Als je de condooms maar niet vergeet,' zegt Erica.

'Hou eens op jullie, het lijkt wel alsof ik word verhoord.'

Na wat heen en weer gepraat, spreken we af dat we naar de fotograaf zullen gaan die de foto's heeft gemaakt op de bruiloft. En ook naar het adres waar de brief van Marte moest worden bezorgd.

'We zijn hulptroepen, jullie kunnen ons inzetten. Wat een naam trouwens, Elwoud, het lijkt wel een ridder uit een Engels verhaal,' zucht Wanda opgewonden. 'Trouwens, nu je het zegt, bij de huwelijksvoltrekking stonden we achter in de zaal en toen de speech van die ambtenaar al bezig was, kwamen er nog een paar mensen binnen. Een lange man met donker haar, twee vrouwen en een meisje van een jaar of zeven.'

'Klopt,' knikt Erica, 'ik zie ze zo nog staan. Dat meisje zei: "Is ze dat. Is ze dat?" Ze wees met een vinger naar de bruiden en speciaal naar Marte. Ze giechelde. "Wat idioot, twee vrouwen. Je gaat toch niet met een vrouw trouwen, pap?" "Het is ook idioot," zei die man. Weet je nog, Wanda, hij zei dat best hard, een heleboel mensen keken geërgerd om. We vonden dat toen nog zo'n rotopmerking.'

'Dat hebben jullie helemaal nog niet verteld.'

'Nee, we vonden het stom.'

'Het was wel een leuk meisje, met blond haar, vlechtjes.'

'Ze leek niet bepaald op Marte,' bedenkt Wanda.

'Nee, maar het was wel gek. Want ze waren weg voordat de plechtigheid afgelopen was en voordat ze ook maar iemand hadden kunnen zien of feliciteren.'

'Ze leken een soort gluurders.'

'Huwelijksvoltrekkingen zijn openbaar, iedereen mag naar binnen,' zegt Wanda. 'Misschien hadden ze er wel iets mee te maken, die onbekende man had wel wat weg van de man op de foto.'

'Welnee,' Erica schudt haar hoofd, 'de man in het stadhuis was nog hartstikke jong.'

We turen weer naar de foto's. De man op de foto begint mij langzamerhand vertrouwd te worden.

'Zo oud is hij niet,' zeg ik peinzend.

Hoofdstuk 8

We waren samen uitgenodigd, mijn moeder en ik. Om samen met Carlyn een bruidsjurk uit te gaan zoeken.
'I do, I do, oh yes, I do,' riep ik pesterig.
Mijn moeder berispte mij streng. 'Doe niet zo vervelend, Branca, zo schaapachtig.'
'Oké, oké, I do I do,' grinnikte ik. Ooit had ik samen met mijn vriendinnen voor een bruidswinkel gestaan met de verheffende naam, I do I do. We hadden lang naar al die jurken gestaard en ons afgevraagd of we ooit zelf zoiets zouden aantrekken.
Carlyn deed opeens zusjesachtig tegen mij. Even was ik geen marmot meer voor haar.
'Ik vind het zo leuk als je meegaat, jij hebt een jonge kijk, weer heel anders dan mama. Jullie samen zijn een goed kritisch oog en zelf weet ik natuurlijk precies wat ik wil.'
Dat had ik zelf ook bedacht. Carlyn wist altijd precies wat ze wilde. Mama en ik waren een knusse decoratie van haar verhaal.
Maar mijn vriendinnen beweerden dat je je anders gaat voelen als je gaat trouwen.
'Doe niet zo belachelijk, jullie,' zei ik.
'En ook als je een kind krijgt, kijk je overal anders aan. Ook ouders worden anders gewaardeerd.'
'Belachelijk,' zei ik weer.
Ze hadden graag met ons mee gewild en drukten mij op het hart om aardig te zijn en niet bij alles aan mezelf te denken. Ik beloofde een gouden gedrag.

Inmiddels had mijn vader zijn lessen geleerd. De klap in zijn gezicht die Carlyn hem toebracht, had hem twee weken lang een geplooid gezicht gegeven met een chagrijnige trek om zijn mond. Aan tafel probeerde hij bondgenoten te vinden in de jongens, maar hij had het ook op mij gemunt. Alsof hij wou peilen of hij nog een dochter aan een vrouw zou moeten uithuwelijken.

'Had jij dat nou ooit van onze Carlyn gedacht. Ze was zo'n jongensgek, zo'n verleidster wanneer het om mannen ging. Hoe denk jij er nou over Branca?'

'Het gaat om Carlyns geluk, je gedraagt je,' zei mijn moeder dreigend.

'Mag ik mij misschien iets afvragen,' mijn vaders stem klonk verongelijkt, 'of ben ik alleen maar een meubelstuk dat de mededelingen krijgt opgeprikt.'

'Ik begrijp er niets van,' zei ik opgewekt, 'ik dacht dat mannen het dagelijkse voer van Carlyn waren.'

Zo die zat. Ik at onverstoorbaar verder en realiseerde mij dat deze trouwerij de eerste indrukwekkende teleurstelling bracht die mijn ouders moesten incasseren.

'Een kreukje in het modelgezin,' hielpen mijn broers, 'kom op, pap, zo voorbeeldig als onze Carlyn zich heeft gedragen; zo'n studie, zo'n baan, zo'n verantwoordelijk leven... dat moeten wij nog maar waarmaken.'

'Als we het al waarmaken,' riep ik somber.

'Maar liefde is toch het fundament onder alles,' gromde mijn vader.

'Vrouwen bieden ook fundamenten, kijk naar mama.'

Mijn vader schudde zijn hoofd. 'Ooit heb ik iemand ontslagen op de zaak, zo'n dertig jaar geleden. Zo'n kwast met puntschoenen en zo'n beroerde geaffecteerde stem. Ik dacht: die moeten we niet, een mietje. En nu komt mijn eigen dochter...' Zijn vuist kwam onmachtig hard op tafel. 'Ik wil dit niet geloven. Jullie vinden het allemaal geloof ik doodnormaal. Ik niet, ik niet toevallig.'

'Pim luister,' siste mijn moeder. 'Dat is dertig jaar terug. Toen zaten we nog verplicht op zondag in de kerk, toen deed je nog precies wat je vader zei. In die tijd dachten we nog dat je naar de hel ging als je ging scheiden. Wat hebben we zelf niet allemaal afgeschaft in die dertig jaar.'

'Bovendien heeft een vrouw voordelen,' stookte ik door, 'laten we wel zijn, al die vrienden van Carlyn vond ik stomvervelend en jij ook. Wie weet hoe leuk het wordt.'

'Daar gaat het niet om,' steunde mijn vader. Hij leek echt bedroefd.

'Het gaat om het plaatje: mannetje vrouwtje. Mannetje iets langer dan vrouwtje, dat staat zo leuk. Vrouwtje een beetje leunend naar het mannetje, maar net niet helemaal. Mannetje iets meer verdienen dan vrouwtje, iets grotere auto, iets meer gezag. Vrouwtje lekker in de marge meedoen, vrouwtje net iets meer greep op het huishouden. Mannetje beschermt, vrouwtje zorgt en wacht. Wacht heel veel. Denk jij dat onze Carlyn kan wachten, papa? Denk jij dat echt?'

Ik zag Marte voor me. De zwarte dansende panter met de fluwelen ogen en de mysterieuze glimlach om haar mond. Ik zag de roos en de revolver. Ik zag een spannend en avontuurlijk leven van twee vrouwen die elkaar uitdagen en liefhebben.

'Ik denk dat het fantastisch kan worden,' zei ik stoer.

Mijn vader liet zijn vork op de grond rollen en keek mij met verbijsterde ogen aan. 'Beweer jij dit omdat jij ook... ik bedoel val jij ook op vrouwen?'

'Nee hoor pap, ik val voorlopig nergens op. En als ik op iets val, is het een vrachtwagen.'

'Probeer toch eens een beetje in deze tijd te komen. Wat een ander overkomt, kan ons ook overkomen. Je zegt altijd zo ruimhartig te denken, nou ik merk er niets van,' zei mijn moeder. Haar stem klonk ongekend krachtig. Ze zuchtte gelaten alsof zij altijd al mijn vader over de tijd heen had moeten trekken.

'Ik ben heel ruimhartig voor de buren en de vrienden, maar niet voor onszelf. Wat is er mis met dit gezin?'

'Niets,' zei mijn moeder. 'Pak jij jezelf maar eens stevig bij de lurven. Er geldt maar een ding, onze Carlyn hoopt gelukkig te worden en wij dragen bij aan een stralende bruiloft voor haar. Daar heb je altijd van gedroomd, of niet soms.'

'Ik had het verdomme anders in mijn hoofd,' zei mijn vader.

'Ik had zoveel anders in mijn hoofd,' zei mijn moeder.

'Wat dan?'

'Bijna alles,' zei mijn moeder laconiek, 'maar ik heb geleerd met de wind mee te gaan, de rivier te volgen. Te buigen en te voegen zoals het leven vraagt. Jij denkt in programma's en plaatjes. Jij denkt dat we alles naar onze hand kunnen zetten.'

Ik had mijn moeder nog nooit zo horen praten.

Diezelfde dag belde ik Carlyn. Ik belde haar nooit, dus ze schrok toen ze mijn stem hoorde.

'Je spreekt met marmot,' zei ik vals, 'als je het mij vraagt moeten jullie heel snel met papa en mama gaan eten. Je moet laten zien hoe leuk het is en geen raadsels toelaten. Papa lijdt aan zichzelf. Je bent zijn oogappel, je kunt hem verlossen.'

'Mijn god,' zei Carlyn, 'natuurlijk gaat dat gebeuren, maar wel op mijn tijd.'

'Nee,' zei ik, 'nu een keer op mijn tijd. Het is tijd, meer dan tijd. Doen wat ik zeg, dus een keer luisteren naar een marmotadvies.'

Ik hing op. Carlyn luisterde voor het eerst naar mij en nodigde hen uit voor een etentje in het weekend, gewoon in haar eigen huis. Daar zouden ze Marte ontmoeten. Ik zwaaide hen na en het ontroerde me toen mijn vader vroeg of ik het een leuk pak vond dat hij had aangetrokken. Hij had zelfs een frivool zakdoekje in zijn jasje gestopt en sloeg een lange rode sjaal om zijn hals die ik nog nooit eerder had gezien.

'Je ziet er gaaf uit,' zei ik en zoende hem op zijn te dikke wangen.

Met een vreemde haast zag ik hem in de auto verdwijnen. Mijn moeder poederde omstandig haar neus en schikte haar haren in de autospiegel. Ze zagen mij niet meer.

Ik wachtte hen op met de kamer, met drie glazen en een fles rode wijn.

'En?'

'Ik was tegen,' zei mijn vader, 'ik was absoluut tegen, ik vond het echt verschrikkelijk, tot ik Marte zag. Nou Brancie, wat een lieve meid is die Marte. En een mooie meid. Tjongejonge. Bloedmooi. En wat een pittige meid, wat die niet allemaal heeft gedaan. Pet af, pet af. En Carlyn was zo stralend, ze heeft me volledig overtuigd. Jongens, dit gaat een topbruiloft worden. Ik ben om.'

Hij ontkurkte vrolijk de fles, ondanks het feit dat hij er waarschijnlijk al een achter zijn kiezen had. Hij hief zwierig het glas naar mij en naar mijn moeder. Terwijl we dronken, gaf mijn moeder mij een knipoog.

'En jij?' vroeg ik, 'wat voor schoondochter krijg je cadeau?'

'Ik moet haar nog leren kennen. Ze heeft iets oosters, iets ondoorgrondelijks. Ik zou bijna zeggen geheimzinnig. Tja... maar Carlyn lijkt me heel gelukkig.'

'Oosters, ondoorgrondelijk?' mijn vaders stem was zwaar van emotie. 'Ik vind haar gewoon om in je armen te sluiten.'

We dronken de fles leeg. Het werd ver na middernacht.

De volgende dag kreeg ik een briefje van Carlyn. *Dank je wel lieve marmot,* schreef ze, *hierbij drie bioscoopbonnen voor jou en je vriendinnen. Bedankt voor je advies. Kus van de bruid.*

'I do, I do,' jubelde ik toen Carlyn de trap opkwam.

'Daar gaan we niet heen, niet naar die winkel. Ik wil exclusiever,' zei Carlyn beslist.

'We hebben ingeschat dat jij in het rood gaat, of misschien in het blauw,' zei mama.

'Ik denk pimpelpaars met gouden randjes, een cowboypak misschien, of een jacquet met hoge hoed. Wie is de gom, wie is de bruid?'

'We gaan zoals we zijn, twee bruiden, twee vrouwen, twee witte jurken. Klassiek en sjiek.'

'Mijn god, het wordt echt een sprookje,' riep ik opgetogen.
Carlyn had in drie winkels afspraken gemaakt en we liepen
gearmd door de Amsterdamse straten. Mijn moeder glom
van trots. We hadden voor een dag de generatiekloof uitge-
schakeld.

Ik begon opeens alles echt heel spannend te vinden en ik
nam het mezelf kwalijk dat ik op plompe schoenen liep en
een vuile spijkerbroek had aangetrokken. Mijn zus zei er
niets over en mijn moeder had alleen haar schouders opge-
haald toen ze me zo zag verschijnen.

Nu had ik spijt, toen wij een van de deftige zaken binnengin-
gen en werden ontvangen alsof we de koninklijke familie
waren. We kregen koffie en werden op met fluweel beklede
stoeltjes neergezet.

'Had u zelf iets in gedachten?' werd er vriendelijk gevraagd.
Die juffrouw wist nog niet wie onze Carlyn was, dat zou ze
spoedig weten. Er klonk direct een uitvoerig vooronderzoek
over stoffen, over de kleur, en de sexy snit die de bruidsjurk
moest hebben. 'Nauw omsluitend en een schitterende stof,
satijn of crêpe zijde. Het moet als een tweede huid zijn.'

De juffrouw vertrok. Wij nipten aan onze koffie, ik at het
hele schaaltje met koekjes leeg en frommelde mijn schoenen
onder mijn stoel. Ik voel me heel lelijk en heel onaanzienlijk,
dacht ik. Ziet niemand dat?

Niemand zag dat. De juffrouw hing gedecideerd vijf jurken
op zicht, waarvan er vier bij waren die Carlyn geen blik
waardig keurde.

'Die vind ik mooi,' zei ik naar de eerste wijzend.
Even later verscheen Carlyn omsloten door een nauwe tweede huid van een prachtig glanzend satijn. Off white. Mijn
moeder schrok, zo mooi was haar dochter. Ik zag een traan
in haar ogen die ze achteloos wegveegde. Ik wist toen nog
niet hoeveel tranen er zouden volgen.

Carlyn draaide en draaide. Ik zag haar billen zich aftekenen,
ik zag de laag uitgesneden jurk en de prachtige stof.

'Je bent echt heel mooi,' zei ik vanuit alle zusterliefde die ik op dat moment kon voelen.

'Vind je dat echt, Brancie?' zei ze.

Ze trok er schoenen bij aan met gekruiste bandjes en hele hoge hakken.

'Is de bruidegom lang en weet u wat hij zal dragen?' informeerde de juffrouw vriendelijk.

Ik zag mijn moeder even op haar lip bijten. Bijna schoot ze in de lach, maar hield zich in.

'De bruidegom is een vrouw,' zei Carlyn zakelijk, 'ze is langer dan ik, zwart, een beetje oosters, ze heeft een hele bruine huid. En ze gaat net als ik in het wit.'

'Oh,' zei de juffrouw, 'wat enig, dat heb ik hier nog nooit meegemaakt, twee bruiden. Echt enig.'

We peilden alledrie of ze het meende.

'Hoe is het mogelijk in een stad als Amsterdam,' zei mijn moeder spottend.

Ik hield die middag onuitsprekelijk veel van mijn moeder. Ze was ronduit verrassend te noemen.

We verlieten de winkel zonder iets te kopen. We hadden hierna nog twee afspraken onderbroken door een lunch waarbij ik weer het meeste at.

'Ik hoef nog lang niet te trouwen,' zei ik opgewekt, 'dus ook niet te lijnen. De broodjes zijn echt voortreffelijk, Carlyn, en die eerste jurk vind ik nog steeds de mooiste.'

We waren eensgezind, maar het onderzoek moest tot het uiterste worden uitgevoerd.

Ik nam ook nog een stuk kwarktaart als toetje en likte stiekem de slagroom van mijn schaaltje.

'Als jij nog eens trouwt, Branca, dan krijgt iedereen echt de perfecte bbb-vormen te zien,' zei Carlyn en ze keek op een manier waarop ik haar nog nooit naar mij had zien kijken.

'Weet je dat ik altijd jaloers geweest ben op jouw figuur?'

'Ik, jij, jij op mij?'

'Ja, ik op jou. Precies zoals ik het zeg.'

'Ik geloof je niet.'

'Het is echt waar. Je bent een schoonheid. Een natuurlijke schoonheid zelfs.'

Ik probeerde door te laten dringen dat ze niet vals was, dat ze niet op mijn vuile spijkerbroek en mijn afgetrapte schoenen doelde. Ze kneep in mijn dijbeen. 'Jij bent gewoon een stuk, daar kan ik nooit tegenop.'

Ik was volkomen uit het veld geslagen. Ik zag mijn moeder achteroverleunen met een soort gelukzalige glimlach die me ook niet bekend voorkwam. Wat was er in vredesnaam aan het gebeuren. De wereld leek ondersteboven aan de waslijn te hangen.

Uiteindelijk kochten we de allereerste jurk die Carlyn had gepast.

En de schoenen met de bandjes.

Bruiden zijn de kruiden in de familiesoep
Ze geven geur, ze verdrijven en ze maken week

Deze dropping stopte ik in de tas van mijn moeder, de zak van mijn vaders colbert en plakte ik onder de ruitenwisser van Carlyns auto. Later hoorde ik ze er met elkaar over praten.

'Wat een toeval,' zeiden ze. 'Zou het iets van de bruidenwinkel zijn, een soort reclame.'

'Ik was toch niet mee naar die winkel,' bromde mijn vader.

Niemand dacht aan mij.

Hoofdstuk 9

Wanneer ik even niet meer weet hoe het moet, bel ik Kirsten. Zij is stokoud en heeft net zo'n witte kop als mijn tante Resel. Maar ze is slim en gek en charmant.

Kirsten is mijn kunstoma. We hebben elkaar geadopteerd en ik kan altijd bij haar langskomen. Ze vindt niets gek en lacht overal om. Maar ze daagt me ook voortdurend uit.

Ooit las ik een advertentie in de krant: 'Kunstoma zoekt kleinkinderen, wie biedt?'

Ik belde haar op. 'Ik ben een heel erg groot kleinkind van bijna veertien jaar,' zei ik. 'Mijn grootouders zijn al heel lang dood. Ik zoek ook een oma.'

'Kom maar langs,' zei ze. 'Laten we maar eens zien of we wat aan elkaar hebben. Ik heb geen kinderen gehad, die wilde ik niet. Maar ik verlang wel naar kleinkinderen. Ik woon aan de uiterste rand van Amsterdam-Noord, vlakbij de pont.'

Ik noteerde haar adres en drie dagen later belde ik weer en vroeg haar of ik mocht komen.

'Ik heb net hele lekkere erwtensoep gemaakt,' zei ze 'hou je daarvan?'

Ik zei ja, terwijl ik erwtensoep eigenlijk helemaal niet lust.

Ik belde bij haar aan. Ze zag er leuk uit, een beetje gek, en ze had een kamer vol foto's uit alle landen die ze had bezocht. Het huis stonk naar soep, maar toch rook het ook lekker.

'Ik heb mijn hele leven mensen naar hun plaatsen gebracht in Carré het grote theater, dat weet je natuurlijk wel. Misschien heb ik jou ook wel eens naar een plaats gebracht,' vertelde ze. 'En daarnaast heb ik mij wezenloos gereisd. Noem een plek op de wereld en ik kan erover vertellen. En jij, wat zoek jij?'

'Gewoon een oma,' zei ik, 'een die niet zeurt en waar je koffie gaat drinken.'

'Welkom,' lachte ze en schepte erwtensoep in grote blauwe

kommen. Kirsten was de eerste die ik vertelde over mijn plan om vrachtwagenchauffeur te worden. Ze vond het fantastisch en vroeg of ze ooit een keer mee mocht. Daarna aten we de erwtensoep met worst en spek hoewel ik bijna nooit vlees eet. Bij haar leek het anders. We keken samen televisie. En toen ik wegging, zei ze: 'Je bent altijd welkom en als het niet uitkomt dan zeg ik het meteen.'

Ik kom er nu al meer dan twee jaar. Soms elke week. Soms elke twee weken. En ik bel vaak.

'De bruiloft heeft een staart,' vertel ik, 'mag ik langskomen, ik heb je raad nodig.'

'Nu niet,' zegt Kirsten, 'ik krijg een nieuwe man op bezoek en aangezien ik hem leuk vind, ga ik met hem mee uit eten en dan naar de film.'

'Zorg dat je je kleinkinderen niet vergeet,' zeg ik met klem.

'Zo gek ben ik niet.'

'Blijf je altijd verlangen naar een man, ook als je stokoud bent?' vraag ik en ik krijg het benauwd want ik moet aan Thomas denken.

'Ook als je stokoud bent. Zweeft er een jongen om je heen? Ruik ik dat?'

'Hij zweeft en vliegt. Ik fladder.'

'Gewoon durven. Ergens moet je beginnen. Vergeet je condooms niet.'

'Nou zeg.'

'Ik meen het, verdomd belangrijk. Je zal ze de kost geven die het vergeten.'

'Ik niet. Daar zorgen mijn vriendinnen wel voor.'

'Ook goed. Wat is er met dat staartje van die bruiloft aan de hand?'

'Hommeles, maar dat kan niet door de telefoon.'

'Ik ben er morgen, geen zaak loopt er weg in de wereld. Kom morgen maar.'

'Ik verdraag geen mannen in jouw huis,' roep ik baldadig.

Kirsten hangt gewoon op.

Ik drentel. Ik maak het huis onveilig. Ik gooi mijn moeders parfum om op een plek waar ik niet gewenst ben, namelijk bij haar kaptafel. Ik ga op het verschrikkelijke grote ouderlijk bed liggen waar we ooit met z'n zessen ontbeten. Het is een tafereel dat niet meer is voor te stellen.

Ik doe mijn moeders klerenkast open en zie het gifgroene pakje hangen met de wijde wappermouwen dat ze op de bruiloft heeft gedragen. Wijde wijde wapper mouwen, mijn moeder houdt van kleuren die ik allemaal lelijk vind. En ook van kleren die ik allemaal heel lelijk vind.

Ik zie haar groene schoenen staan, ze zijn bestikt met lovertjes en nepkralen. Voor de lol trek ik ze aan en loop er op door de kamer. Overal op de trouwfoto's die wij stiekem van Elwoud hebben bekeken, knallen die groene schoenen in beeld. Heksenschoenen zijn het en heksenmouwen.

'Mijn moeder is een heks,' zeg ik hardop in de kamer. Het mankeerde er nog maar aan dat ze een groen hoedje had opgezet. Dan leek ze helemaal op de koningin.

Moeders zijn als heksen en als koninginnen
Zij roeren in de rabarber met al hun vingers, rood is de moedermelk
Laat mij slurpen van dat rode... dat rode daar...

Ik drop het in de kaptafellade.
Buiten regent het. Ik voel me een achterbaks vreemd wezen dat dingen weet die mijn eigen familie hoort te weten. Waarom moet ik iets met Elwoud en Thomas gaan uitzoeken wat ik eigenlijk aan mijn ouders wil vertellen en ook aan mijn broers? Waarom moet die verdomde Kirsten nu net vanavond met een nieuwe vent uitgaan. Nieuwe kerels horen niet bij grootmoeders, oma's. Laat ze gewoon eens thuisblijven.
Ik loop naar de keuken en pak een koude pannenkoek uit de koelkast die ik met een dikke strooplaag besmeer en in mijn mond prop. Dan staar ik uit het raam waar de regen op het

terras in de tuin klettert. Het is eind september en het een na laatste schooljaar heeft goed ingezet. Mijn eerste onvoldoendes zijn al binnen en ik betwijfel zeer of ik ooit het examen zal gaan halen. Ooit ergens. Ergens nergens. Ik verveel me en ik wil dat er iets gebeurt.

De telefoon gaat. Ik laat hem rinkelen tot het antwoordapparaat aanslaat. Ik zet het snel harder en hoor dan Elwouds stem: 'Ik bel voor Branca. Met de vraag of ze mij terug wil bellen.' Er volgt een 06-nummer dat ik vliegensvlug noteer. Ik spoel de boodschap weer weg en staar naar het nummer. Ik neem nog een pannenkoek. Nog even en ik kan nooit meer die jurk aan die ik speciaal voor Carlyns bruiloft heb gekocht. Een te gekke jurk, heel nauw, als een palingvel zit hij om mij heen. De jurk heeft alle kleuren van de regenboog op een zwarte ondergrond. Hij is gewaagd kort, net over mijn kont.

Heel sexy, zeiden mijn vriendinnen. Jij durft.

'Wat een spannende jurk heb jij aan en wat een schitterende lange benen heb jij,' dat zei Elwoud toen ik op de bruiloft met hem danste. Ik heb maar een keer met hem gedanst. Hij kwam niet meer terug. En ik durfde zelf niet naar hem te gaan.

Ik weet opeens heel zeker dat ik daarom zo uitbundig met Thomas ben gaan zoenen.

In mijn eigen kamer draai ik zijn nummer. Hij lijkt verrast als hij hoort dat ik het ben.

'Dat is snel.'

Te snel, denk ik. Stommerd. Ik zeg niets.

'Luister Branca, zou jij met mij mee willen naar dat adres. Ik denk dat als jij erbij bent het misschien anders verloopt. En er is nog iets, maar dat zeg ik liever niet door de telefoon. Heb je tijd? Zou je nu kunnen?'

'Ik heb tijd,' lieg ik.

We spreken af op het Leidsplein bij de schouwburg. Ik hang

op en bel vervolgens mijn gitaarles af. 'Zo'n ontzettende kiespijn en ik kan bij de tandarts terecht,' lieg ik voortvarend verder.

'Dan zal ik je de les niet rekenen, sterkte,' zegt mijn gitaarleraar mild.

Ik trek een andere broek aan en wissel drie keer van schoenen. Dan fiets ik als een bezetene de straat uit. Ik zie eerst niet eens dat ik mijn eigen vader voorbij fiets en hoor al helemaal niet wat hij mij hartelijk toeroept.

'Geen tijd,' roep ik overdreven.

Elwoud staat voor de schouwburg te wachten. Hij haakt onze fietsen met een geroutineerde beweging aan elkaar met twee dikke sloten. 'Kom op even bij Cox naar binnen, even een pilsje en bijpraten.'

Ik loop achter hem aan, opeens ben ik geen zestien meer, minstens zeventien, bijna achttien.

Zouden mijn benen lang lijken in deze broek? Wat doet die Elwoud eigenlijk? Ik weet niets van hem, behalve dat hij de zoon van een zus van Marte is en de neef van Thomas.

'Dat adres is bij de Van Eeghenlaan, vlakbij het Vondelpark. Ik wou daar een beetje rond drentelen. Misschien speelt het kind buiten. Als jij dan een smoes verzint om het aan te spreken. Kinderen spelen toch vaak buiten.'

'Misschien spelen kleine kinderen niet buiten in de stad. Bovendien regende het een half uur geleden.'

'Zo klein is ze nou ook weer niet.'

'Ze moeten mij niet zien,' zegt Elwoud, 'ze moet jou zien, toevallig bedoel ik.'

'Wat moet ik dan vragen?'

'Ik denk dat we alleen via dat kind meer te weten kunnen komen.'

'Misschien gaat het helemaal niet om dit kind, maar om een ander kind. Er schijnen trouwens ook mensen in het stadhuis aanwezig zijn geweest die niemand van de stoet leken te kennen. Dat vertelden mijn vriendinnen, daar was ook een kind bij.'

Ik probeer verslag te doen hoe het meisje eruitzag volgens de verhalen van Wanda en Erica. 'Ze was er met twee vrouwen en een man. Ze wees naar de bruiden, ze zei: "Trouwen met een vrouw is idioot, dat klopt toch niet."'

Elwoud schiet in de lach. Hij legt even een hand op mijn arm: 'Dat is ook zo, dat klopt ook niet. Dat moet jij niet doen. Dat ga jij toch niet doen?'

'De wereld is wijd, de wereld is open. Ik ga alles doen wat God verboden heeft.'

'Blond haar met kleine vlechtjes, zeiden je vriendinnen dat? Het kind dat ik gezien heb, heeft ook blond haar met kleine vlechtjes.'

'Echt waar?'

'Zo waar als ik hier met jou pils drink.'

We klinken en hij legt even een arm om mijn schouder en drukt me een heel klein beetje tegen zich aan. 'Ik heb nog een bekentenis,' zegt hij, 'een hele recente. Ik hoorde toevallig een gesprek tussen mijn moeder en die van Thomas. Mijn moeder zei doodleuk dat ze heus wel wist dat Thomas een relatie met Marte heeft gehad. Een relatie, mind you, Thomas is twintig jaar en Marte is minstens dertig. Alles kan natuurlijk, maar het is wel een tante en een neef.'

Elwouds ogen zijn heel lichtgrijs en staan bol van verwondering. Ik zorg dat zijn arm weer op de juiste plaats komt en neem een grote slok pils.

Ergens rinkelt een belletje in mij. Familie Troebel, gaat het door me heen. Familie Troebel die eerst broer Rens Krullenbol wegpest en vervolgens zegt dat Marte iets heeft gehad met Thomas. Wie liegen hier allemaal? En om welke reden?

'En waarom vraag je dat Thomas zelf niet?'

'Ik was te geschokt,' zegt Elwoud.

Familie Troebel, tringelt het belletje in mijn hersens weer.

Waar is mijn zuster in vredesnaam in terechtgekomen? In een wespennest, zo'n lange trechter vol venijn. Waar zijn de stoere standvastige mannen zoals Karel en Menno?

'En wat zei de moeder van Thomas dan wel precies?' Mijn stem krijgt een ijzige klank.

'Ze werd woedend, ze zei dat het laster was. Ze zei dat zowel Thomas als Marte de meest opvallende mensen in de familie zijn. Dat geeft een aantrekkingskracht, dat is altijd al zo geweest. Maar de anderen maken altijd zwarte schapen van ze, dat zei ze.'

Zwarte schapen, die had ik eerder gehoord. Van een van de zwarte schapen zelf.

'Jouw zonen hebben niets met mij en mijn zonen hebben niets met jou. Maar allebei onze zonen hebben wel iets met Marte. Marte is nu eenmaal de jongste en het meest vrijgevochten. Dat zei mijn moeder.' Elwoud neemt even adempauze en schuift weer dichter naar mij toe. Zijn ogen zijn mooi en griezelig, constateer ik

'Maar de moeder van Thomas beweerde dat het allemaal onzin was. Roddelpraat. En dat Marte het zelf wel verzonnen zou hebben, Marte had immers met iedereen relaties.'

Er tringelt weer een belletje in mijn hoofd. Onze Carlyn had ook met iedereen relaties. Zoiets als de Utrechtse Dom, hadden mijn vriendinnen wel eens uitgeroepen, stapel ze maar eens op elkaar. Torenhoog aan mannenervaring. Misschien moest je wel heel veel relaties met mannen hebben, voordat je weet dat je met vrouwen iets wilt. Een grote toren mannenvlees had mijn zuster verwerkt.

'Het begint een soap te worden. Als we Thomas zien, vragen we het hem gewoon,' zeg ik nuchter.

'Wat je gewoon noemt.'

'Ik durf het wel te vragen.'

Moet je mij horen, denk ik. Ik durf het helemaal niet. Iets bevalt mij niet, maar ik kan niet meer helemaal onderscheiden wat mij niet bevalt.

'Laten we door de Van Eeghenlaan gaan fietsen,' zeg ik, 'je weet nooit wat er gebeurt en morgen zien we Thomas.'

'Vanavond al, dan is die voorstelling op de theaterschool. Daar ga jij toch ook heen. De Zwarte Lady, het stuk van Thomas. Hij zei dat hij je gevraagd had. En dat je kwam. Hij heeft mij twee kaartjes gegeven, want ik heb gezegd dat ik jou nog zou zien. Trouwens de halve familie komt weer, allemaal op herhaling na de bruiloft.'

'Jouw familie dan.'

'Ja natuurlijk, mijn familie dan. Je gaat toch mee?'

'Eerlijk gezegd was ik het vergeten, maar goed ik ga mee.'

We haken onze fietsen weer los en fietsen daarna richting Van Eeghenlaan.

'Je lijkt niet erg geschokt,' zegt Elwoud nog.

'Langzamerhand komt het geloof ik niet echt meer binnen, het wordt te bizar. Foto's, Marte misschien een kind, en nu weer een verhouding met een neef.'

Het is stil in de Van Eeghenlaan. De huizen liggen er statig bij, met mooie hoge ramen. Er zijn nauwelijks mensen buiten en al helemaal geen kinderen.

'Daar, dat huis met dat ene ronde raam,' wijst Elwoud.

We fietsen een paar keer de laan op en neer. De deur waar we naar kijken gaat open en er komt een jonge vrouw naar buiten die een fiets losmaakt en wegrijdt. Ik probeer haar uiterlijk in mijn geheugen te griffen om dat later met Wanda en Erica te bespreken. Verder blijft de deur dicht en is er geen kind te zien.

Hoofdstuk 10

DE ZWARTE LADY, de affiches op de theaterschool liegen er niet om. Ik heb mij voor deze dag de zoveelste leugen gegund. Eerst de gitaarles weggepraat, vervolgens mijn bijles weg. Gelukkig dat mijn ouders naar de bioscoop zijn zodat ik alles in hun afwezigheid kan regelen. Nu moeten ze het doen met een poeslief briefje dat ik op het aanrecht heb gelegd en weet ik zeker dat ze wakker zullen blijven tot ik weer binnen ben.

Het is een doordeweekse dag en er moet gewoon geploeterd worden in gezin middelmaat. Uitgaan is mij eigenlijk verboden op een doordeweekse dag. Maar ik prijs de toneelavond aan als een soort staartje van de bruiloft en ik beweer dat Carlyn en Marte het vast heel erg leuk vinden wanneer ik naar Thomas, hun neef, ga kijken op de theaterschool.

Ik sta lang voor de spiegel en trek uiteindelijk een zwarte broek en een zwart T-shirt met een lage hals aan en glimmende rode schoenen.

Voor de deur bij de theaterschool staat Elwoud mij op te wachten. Hij neemt me bij de arm alsof ik geleid moet worden. Zonder dat hij het zelf in de gaten heeft, blijf ik een stap zijwaarts van hem.

'Ze zitten allemaal al op een rij vooraan, we ontkomen niet,' fluistert hij.

Ben ik dat die onbewogen op de schoonfamilie van mijn zuster afga? Ik zoen een rij opgeheven gezichten. Ik druk handen. Ik glimlach. Mijn vriendinnen zouden mij bewonderen wanneer ze me zo zouden zien.

De zus van Marte en haar man. Nog een zus van Marte zonder man. Hun kinderen, drie zonen en twee dochters. De grootmoeder van Marte. De moeder van Marte. De oom van Marte en zijn vriendin. En daar weer een vriend van.

Ze begroeten me allerhartelijkst, het kleine marmottenzusje

van Carlyn. Ik zie ze allemaal nog voor me in de bruiloftstoet en bij alle gezichten kan ik me de kleding van die dag nog herinneren, ik kan de speeches nog invullen en ik kan ze allemaal zien dansen.

'Hoe zouden ze het maken onze bruiden, weet jij waar ze zijn, Branca? Heeft jouw zusje je het niet stiekem ingefluisterd?'

'Mijn naam is haas, ik weet van niets,' zeg ik gedecideerd.

Jullie weten nog niet dat Carlyn ogenblikkelijk zal gaan scheiden wanneer ze hoort wat jullie allemaal uitspoken. Wat jullie familie allemaal uitspookt. Wat jullie Marte allemaal uitspookt. Mijn zus mag er dan niet zo adembenemend uitzien als Marte, maar ze is wel eerlijk en slim en goed. Heel goed is ze. Allerlei gedachten gaan razendsnel door me heen. Ondertussen zegt mijn mond hele andere dingen. Mijn mond zegt dat de bruiden vast in de Indische oceaan zijn beland, dat ze vis eten en wijn drinken, van ebbenhout worden, zo bruin en dat ze stellig iedere avond op het strand aan het dansen zijn.

'Ssst,' zegt Elwoud. 'Over de rest van wat de bruiden doen, heeft iedereen zijn eigen speculaties. Ben jij niet nieuwsgierig?'

'Nee, waar moet ik nieuwsgierig naar zijn? Naar de afwezigheid van het mannelijk geslacht? Het interesseert me geen biet hoe ze het doen en wat ze doen. Dat interesseert me trouwens van niemand. Ik ben meer nieuwsgierig naar wat mensen doen als ze het niet doen.' Mijn stem is minstens zeventien, achttien.

Elwoud schiet in de lach, het klinkt bulderend.

'Wat is er zo leuk?' vraagt zijn moeder.

'Branca,' lacht Elwoud. 'Die is verdomd leuk.'

'Vind ik ook,' knikt zijn vader. 'Weet jij dat de neven een weddenschap op je hebben afgesloten, ik zou maar uitkijken. Het is tuig, die neven van Marte,' zegt hij met een spannend timbre in zijn stem.

Familie Troebel, tringelt het in mijn hoofd, ik lust jullie rauw.
'O ja, willen jullie mij verkwanselen. Hoeveel is ingezet?'
'Veel,' zegt Elwoud en legt een hand op mijn dijbeen.

Het doek gaat open en op het podium nemen de eerste spelers plaats. Acte een is begonnen.
'Thomas heeft het geschreven en geregisseerd en hij speelt zelf ook nog mee in een kleine rol.'
'Dat was me bekend,' fluister ik.
'Je was het anders mooi bijna vergeten.'
'Bijna, door jou ben ik gered.'
Het is een zwart stuk over veel ellende. Drie paren hebben elk een relatie met de Zwarte Lady. Uiteindelijk komt de ware man van de Zwarte Lady tevoorschijn en dat is Thomas. Hij verschijnt naakt op het toneel, maar met een goudgeschilderde body. Over zijn hele lijf zijn rode noppen aangebracht, zo lijkt het alsof hij een verguld balletpak draagt.
De familie schiet collectief in de lach wanneer hij over het toneel gaat. Thomas vertrekt geen spier, hij houdt een intense monoloog over de liefde en onderstreept die door zijn eigen Zwarte Lady af te voeren en haar heel venijnig maar wel doeltreffend te wurgen.
Er klinkt luid applaus en ik staar naar het goudgeschilderde mannelijk deel van Thomas dat kort geleden nog zo heel onverwacht tegen mijn buik aandrukte. In mijn handen ontstaat een vochtig zweten, ik voel mijn eigen hart sneller kloppen.
Gelukkig verdwijnt Thomas weer en krijgen we acte twee te zien. Die is geheel gevuld met dans en zang. Ik hoor niets, ik zie ook nauwelijks meer iets. Wat doe ik in vredesnaam hier met deze familie, die niet mijn familie is en ook nooit zal worden. Het lijkt wel alsof ik heel langzaam een fuik word ingetrokken en dat een onzichtbaar net zich over mij uitstrekt.

Weet Carlyn eigenlijk wel met welke familie ze is getrouwd? Ik zie de twee blonde hoofden van Marte's zussen. Is Marte eigenlijk wel een echte zus, denk ik opeens. Waarom heb ik daar niet eerder aangedacht. Marte heeft iets ondoorgrondelijks, iets oosters, had mijn moeder gezegd. Beide zussen hebben niets oosters.

In de pauze verschijnt Thomas. Hij maakt een indrukwekkende entree. Met een wapperende kimono over zijn goud geschilderde lijf geslagen stevent hij recht op mij af. Voor het oog van de hele familie omhelst hij mij innig en drukt mij overdreven heftig tegen zich aan.

'Pas op dat ze niet mee geschilderd wordt, dat je niet afgeeft,' roept zijn moeder.

'Lijf op lijf bodypainting,' zegt zijn vader. Er klinkt een hilarisch gelach.

'Wacht je na het laatste bedrijf op me?' vraagt Thomas.

'Even,' zeg ik, 'ik kan niet laat naar huis.'

'Ik breng je.' Thomas klakt met zijn tong. 'Het duurt niet lang meer. Het is een fantastisch stuk, vind je niet? Het einde is ook nog overrompelend.'

Ergens klinkt een bel. We schuiven weer op onze plaatsen en kijken naar het overrompelende einde allemaal door Thomas bij elkaar geschreven. 'Die jongens is echt knotsgek,' hoor ik Elwoud naast mij zuchten, 'hij en Marte, dat zijn de kunstenaars in de familie, maar ook met de meeste fratsen moet ik zeggen.'

'Hij en Marte,' zeg ik na.

We schieten allebei in een hikkend lachje.

'Wedden dat Thomas gaat proberen jou te versieren,' fluistert Elwoud in mijn oor.

'Oh ja,' zeg ik.

'En wedden dat ik dat ook ga proberen.'

'Oh ja,' zeg ik weer.

Aan het eind van het stuk verschijnt Thomas in zijn goudverf omhulsel. Hij ligt languit in een hangmat die aan tou-

wen is bevestigd en al schommelend hoog boven de toneel-
vloer hangt. Vanuit die plek spreekt hij zijn laatste monoloog
uit, terwijl alle spelers net zoals in het circus, in een bonte rij
over het toneel lopen.

Weer klinkt een overtuigend applaus. 'Ik moet even naar de
wc,' fluister ik in het oor van Elwoud, 'ik ben zo weer terug.'
Ik haast mij naar de gang. Ik ruk mijn jas van de kapstok en
verdwijn door de deur terwijl het applaus nog steeds doorgaat. Ik heb het gevoel dat ik vermorzeld raak. Net als de
Zwarte Lady.

Buiten is de nacht koel. Er zijn geen sterren en het regent
een beetje. Ik trap als een bezetene naar de veilige burcht op
de Bredeweg. Onderweg tel ik mijn leugens van die dag.

Hoofdstuk 11

Bruidstranen, bruidssuikers, bruidstaart, bruidsboeketten.
We dronken bruidstranen uit een geraffineerd mooi flesje toen de bruiden in ondertrouw waren gegaan. Daarna kwamen ze bij ons borrelen.
Mijn ouders zaten klaar om hen op te wachten, met de mooie glazen op tafel en een onberispelijk opgeruimde kamer.
'Het lijkt hier wel een toonkamer van een woonboulevard,' zei ik onmachtig en ik had de neiging om de schaal zoutjes over de grond te smijten.
'In jouw huis later doe je maar hoe jij het wilt,' snauwde mijn vader.
'Stellig,' snauwde ik terug en met een paar bewegingen probeerde ik het iets minder visiteachtig te maken. Na het afstudeerfeest was dit de eerste keer dat ik Marte zou ontmoeten en zonder Carlyn iets te zeggen of te vragen, had ik mijn broers gewaarschuwd dat ze in ondertrouw gingen. De bruiden in wording.
Ik wist zeker dat mijn broers uit nieuwsgierigheid ook langs zouden komen. De bruiden kwamen later dan verwacht en ik zag mijn moeder voortdurend uit het raam kijken en mijn vader zijn horloge vergelijken met de woonkamerklok.
'Misschien hebben ze spijt,' zei ik olijk, 'dat hoor je wel eens. Ook wel eens op het meest spectaculaire moment dat het jawoord gegeven moet worden.'
'Echt leuk,' knikte mijn vader, 'zeker in die domme films die jij zo graag ziet.'
'Doen jullie toch niet zo vervelend,' zei mijn moeder.
Ze had gelijk. Rituelen geven nu eenmaal een extra spanning. Zeker als ze nog onwennig voelen. Ik vroeg me af hoe het zou zijn wanneer ik ooit met een vriendje thuis zou komen. Voorlopig leek dit alleen maar verschrikkelijk.

Een uur later dan afgesproken verschenen ze met de armen om elkaar heengeslagen en stralende gezichten in de deuropening. Ze hadden allebei een groot boeket in hun handen, Marte in blauwe tinten, Carlyn in roze.

'Daar zijn we dan,' riep Carlyn overbodig, 'er waren opeens vrienden bij het stadhuis dus we zijn al onder de olie, we zijn meteen al echte ondertrouwers geworden.'

Carlyn zoende haar moeder overtuigend en duwde het boeket in haar armen. Marte omhelsde mijn vader en gaf hem het andere boeket. 'Eigenlijk had ik je officieel de hand van je dochter moeten vragen,' zei ze schalks.

'Eigenlijk wel,' zei mijn vader.

Toen stroomde zowaar de eerste bruidstraan. Bij mijn vader. Hij veegde hem nonchalant weg, maar er kwam er nog een.

'Ach die pap,' zei Carlyn en vloog in zijn armen. 'Ik ga de wereld niet uit grote steunpilaar van me.'

'Nee kind nee, maar toch. Ik... ik, nou ja, ik heb gewoon spijt dat ik eerst zo beroerd heb gereageerd, zoiets verdien je niet. Want weet wel dat je goud in je handen hebt,' knikte hij naar Marte, 'Carlyn is nu eenmaal mijn oogappel.'

'Ahum,' zei ik.

Dat was het moment waarop Marte en ik elkaar in de ogen keken. Ze was langer dan ik, smaller, verfijnder, met hele mooie donkere ogen, precies zoals ik ze in mijn herinnering had. En ze rook naar jasmijn en naar een zomeravond na veel regen. De zwarte panter die haar wangen tegen de mijne legde, om beurten nog wel en mij wel heel innig vasthield.

'Jij bent Branca,' haar stem was zacht en krachtig. Iets in mij smolt. 'En jij bent net zo'n nakomer als ik, hoewel, ik ben nog erger er aan toe, geloof ik.'

Ze nam mij op en ik verbeeldde me dat ze een vergelijk met Carlyn maakte, maar dat vergelijk was overbodig. Niemand in de wereld had ooit gezegd dat wij wel eens zussen zouden kunnen zijn.

'Mijn ene zus is twintig jaar ouder en de andere achttien jaar,'

Marte hief haar armen theatraal omhoog. Ik zag dat ze gladde oksels had en stevig gespierde bovenarmen. Haar huid leek zacht en was matbruin.

'Een drama om daarmee groot te worden, drie moeders in huis en ook nog een oma. Ik ben dus over bevoogd en daar zal jij ook wel iets van weten.'

'Breek me de bek niet open,' zei ik krachtig, 'voor Carlyn ben ik een marmot en blijf ik een marmot. En wat is een marmot: nietig en onaanzienlijk.'

'Hou op,' zei Carlyn, 'dat is jouw interpretatie. Projectie, allemaal projectie.'

'Ik kom de gelederen hier versterken want ik weet precies wat jij voelt,' zei Marte en ze schoof naast mij op de bank en vroeg vriendelijk: 'Mag ik mijn schoenen uitdoen, dan voel ik me pas echt thuis.'

'Ja hoor,' zei ik genadig, 'wij hebben ze allemaal net voor je aangetrokken, ik in ieder geval, kan ik ze ook lekker uitdoen.'

Tegelijk gooiden we onze schoenen op de grond en doken met onze benen op de bank. De kamer leek er opeens veel normaler door.

'Mijn ene zus wilde mij aankleden alsof ik een grote levende pop was en de andere wilde mij kunstjes leren alsof ik een tamme leeuwin was. Ik was van beide niet gediend dus uiteindelijk heb ik mijn heil gezocht bij de zonen van mijn zussen. Bij Thomas en bij Elwoud, dat zijn een soort broers, schatten zijn het. Je zal ze op de bruiloft wel leren kennen.'

Marte's parfum maakte niet te definiëren herinneringen in mij los. Ik wist niet wat het was, het prikkelde en maakte mij onrustig.

'Vertellen jullie nou eens over hoe het ging,' zei mijn moeder, 'en kijk, ik heb echte bruidstranen gekocht.' Ze schudde met het flesje en flonkerende stukjes goud dwarrelden in de zoete likeur. Behoedzaam schonk ze de glazen vol en presenteerde.

Dat was het moment van de tweede bruidstraan. Bij Carlyn

zelf. Ze snotterde er een beetje bij. 'Wat lief mam, die bruidstranen,' zei ze en huilde echt.

We klonken eensgezind en toen vloog de deur open en kwam de tweeling luidkeels zingend binnen en ze hielden allebei een fles champagne omhoog.

Er werd weer gezoend. En allebei keken mijn broers langdurig naar Marte alsof ze wilden peilen wie ze was. Marte glimlachte welwillend en bemoeide zich met mij. En toen mijn broers zich ook op een glaasje bruidstranen stortten en het in een slok achteroversloegen kwam bruidstraan nummer drie. Het was mijn moeder.

'Dat we hier nu zomaar op zo'n gewone dag bij elkaar zitten,' zei ze, 'en dat het toch zo bijzonder is. Ik bedoel, Marte, kind, ik hoop dat je het goed zal hebben in deze familie, dat je je echt thuis voelt. Het is hier misschien heel gewoon, maar wel goed...'

En toen huilde ze echt. Het waren mooie verstilde tranen en op dat moment besefte ik dat ik echt van mijn moeder hield ondanks het feit dat ik haar zo vaak vervelend vond. Opeens prikten er bij mij ook tranen. Ik drong ze terug. En ik constateerde dat deze tranen niet echt golden.

Er werd weer gezoend. Nu was het Marte die naar mijn moeder liep en zei dat ze er altijd naar verlangd had om in een gewone familie te komen, want in haar familie was niets gewoon.

Niemand begreep op dat moment wat ze daarmee bedoelde en niemand vroeg verder.

Maar onze eigen familie, wij als doorsnee gezin zagen elkaar heel even met andere ogen en er vond een merkwaardige verschuiving plaats.

'Niet overdrijven,' zei Wart, 'zo gewoon is het hier nu ook weer niet.'

'Niet teveel tranen bij aanvang,' zei Jacob, 'kijk, bij bruidstranen horen ook bruidssuikers,' en hij strooide ze kwistig over de tafel en over de bank en stopte er bij mij een in de hals van mijn T-shirt. De kamer was nu in wanorde. Marte lachte en ik zag twee gouden kiezen glinsteren en een rij mooie tanden. Carlyn vertelde wat er op het stadhuis was gebeurd en hoe verrast ze waren door de vrienden die buiten hadden staan wachten.

'En kijk, we hebben ringen, speciaal gemaakt door een vriend van Marte, die is juwelier en edelsmid. Hij heeft ze echt voor onze handen ontworpen.'

Twee handen spreidden zich. Het waren stevige witgouden ringen met een scala aan gekleurde steentjes die nonchalant over de ringband verstrooid leken te zijn, bij Carlyn overwegend rood en bij Marte overwegend blauw. Verder waren ze gelijk.

'En kijk, mam, pap, met een inscriptie natuurlijk, van deze datum. *Marte Maria* las ik in de ring van Carlyn. En in Marte's ring stond *Carlyn Charlotte*.

De handen die naast elkaar lagen waren heel verschillend. Die van Carlyn was me vertrouwd een kleine hand met sproetjes erop, slanke vingers met mooie verzorgde nagels keurig gelakt, altijd in een gedekte cyclaamrode kleur.

De hand van Marte was langer en breder, met lange vingers, platte blanke ongelakte nagels die heel kort waren afgeknipt. Ik zag Marte naar die twee handen kijken. Ik zag haar mondhoek trillen en een aarzelende lach kwam tevoorschijn. Toen kwam bruidstraan nummer vier.

'Ik hou zo veel van jullie Carlyn,' zei Marte, 'zielsveel en al zo lang. Het heeft eindeloos geduurd voordat Carlyn daar van overtuigd raakte. Over veroveren gesproken.'

De tranen rolden nu echt over haar wangen. Ze veegde ze niet weg. Ze bleven gewoon stromen.

Uiteindelijk kuste Carlyn ze weg en dat was het moment waarop mijn broers tegelijk een fles champagne open knalden en de kurken tegen het plafond gingen.

Daarna braken de plannen los omtrent de bruiloft en haakte ik langzaam af. Het woord etiquette viel, de namen van tante Resel en oom Ko vielen. Mijn moeder raakte op drift en mijn vader rookte aanhoudend sigaren wat hij anders nooit deed. Er werd over muziek en over eten gepraat.

Ik bleef naar Marte kijken. Opeens boog ze zich naar mij toe en vroeg onverwacht: 'Heb jij eigenlijk een vaste vriend, Branca?'

'Nee, ik kom met mijn vrachtwagen op jullie bruiloft, dat is mijn grote liefde.'

Marte schoot in een niet te stuiten lach, die mij onzeker maakte.

Op mijn kamer hielden mijn broers en ik nog een kleine nazit, toen de bruiden verdwenen waren.

'Ze is tof,' zei Wart krachtig, 'maar ik had liever een vent naast mijn zus.'

'Ze is zeker tof, en ik vind het wel opwindend, twee van die vrouwen,' zuchtte Jacob. 'Wie weet val ik ook wel op een man.'

'Eén homohuwelijk in de familie vind ik genoeg,' zuchtte Wart. 'Hou toch op, man. Gisteren zag ik je nog met Bianca.'

'Nee serieus,' zei Jacob. 'Ik vind vrouwen soms vreemd, je verliest jezelf min of meer bij ze. Griezelig. Bovendien zeuren ze. Ik heb nog nooit een vrouw meegemaakt die niet zeurt.'

'Oefenen,' zei Wart streng. 'Gewoon oefenen. En jij, Branca?'

'Ik vind die Marte heel intrigerend. Heel, heel intrigerend,' zei ik.

Mijn broers vonden die mening allebei schromelijk overdreven.

Hoofdstuk 12

Mijn vriendinnen noemen het dossier dat ze hebben aangelegd: 'De Bruiden van Branca.'
Ik schiet steeds in de lach wanneer ik die letters zie staan op het omslag.
We verzamelen de gegevens en maken een beschrijving van de twee families en van de dingen die na de bruiloft zijn gebeurd.
'Wij hebben maar een lullige kleine familie,' stel ik vast als ik onze stamboom zie.
'Een tante Resel en een oom Ko en die waren eigenlijk van het toneel verdwenen.'
'Aan de andere kant tel ik twee tantes en een oom, een grootmoeder en vijftien nichten en neven,' de stem van Erica klinkt zakelijk.
'Ik tel zeven bruiloftsgangers, collega's van de bank waar Carlyn werkt,' somt Wanda op.
'Twintig vrienden en collega's van Marte,' telt Erica.
'Drie hartsvriendinnen van Carlyn, waaronder die vermoeiende Nikkie,' zucht ik overdreven.
'Prominente rol op de bruiloft speelden de vader van Carlyn en de twee neven Elwoud en Thomas en ook die tante Resel van jou.' Wanda omcirkelt hun namen met een rode pen.
'Tante Resel? Wat heeft die nou weer betekend.'
'Tante Resel was pittig aangeschoten op het feest en oom Ko niet minder. Wij hebben ze samen naar huis gebracht met een taxi en daar braken de roddels los.'
'Wat?'
'Kinderen en dronkenlappen spreken de waarheid,' zegt Erica.
'Welke waarheid?'
Ik hoor opeens de stem van mijn zus. 'Is het leuk als we je vriendinnen uitnodigen op het feest? Erica en Wanda. Die

ken ik al zo lang, die horen er gewoon bij.'
'Die ken je helemaal niet,' had ik gezegd. 'Die heb je nooit aangekeken. Die waren van de marmottenfamilie, klein en nietig. Waarom zou jij die uitnodigen?'
'Doe niet zo onaardig. Het wordt een groot feest en iedereen is welkom.'
'Voor een dag zeker,' had ik schamper gezegd.
'Dan niet,' zei Carlijn.
Ik had mijn vriendinnen toch op de lijst gezet, omdat ze het zelf heel interessant vonden om een bruiloft van twee bruiden mee te maken. En omdat ik opeens niet alleen wou zijn. Carlijn had het niet eens gemerkt.
Bruiloftsblues omkleden elke waarheid met een vals gouden randje.
Deze dropping verzeilde toen in beide handtassen van de toekomstige bruiden.
'We hebben ook dat nog niet kunnen vertellen, jij bent alleen maar met die Thomas en Elwoud in de weer,' onderbreekt Wanda mijn gepeins. 'Maar luister, die tante Resel beweerde dat Carlyn al eerder een vriendin had gehad. Een liefde, Selma. Dat was een spannende meid, een tapdanseres. Tante Resel was de enige die dat wist.'
'Heb jij ooit die naam Selma horen noemen?' Erica kijkt mij onderzoekend aan.
'Nooit,' zeg ik, 'ik ken alleen de Utrechtse Dom van mijn zuster. Met op de top Menno, voorafgegaan door Karel.'
'Het schijnt jaren geduurd te hebben met die Selma.' Wanda maakt een paar sexy bewegingen met haar heupen en draait een rondje vlak voor mijn gezicht. 'Met wie ben jij eigenlijk bezig, kleine zus van stoute bruid?' zegt ze met een zwoele stem, 'zeg jij ons wel alles wat jij aan het doen bent?'
'Hou op,' zeg ik, 'ik word langzamerhand kotsmisselijk van alle scenario's. Laten we het boek maar sluiten.'
'Ter zake,' roept Erica. 'Tante Resel was wel dronken, of het echt waar is, weten we niet.'
Ze pakt het schrift en leest de feiten.

Na de bruiloft wordt er gevonden: een onontwikkeld fotorolletje, Agfa 2000, 36 opnames. Door Thomas, neef van de bruid.

Na het ontwikkelen van de foto's door Branca en Thomas blijken op de foto's geen bruiloftsbeelden te staan. Maar wel obscene foto's van een halfnaakte Marte met een onbekende man. Zeventien foto's zijn helder, de rest is overbelicht. De dag na de bruiloft ontvangt Elwoud, neef van Marte, een brief van Marte. Vanaf Schiphol gestuurd.

Zij vraagt of hij een bedrag van duizend euro naar een adres wil brengen aan de Van Eeghenstraat. Elwoud moet het geld afgeven. Het is een vergoeding voor een nikon fototoestel, beweert Marte in de brief.

De man die het geld aanneemt zegt: voor haar kind zal je bedoelen.

De moeder van Elwoud beweert dat Thomas een verhouding met Marte heeft gehad, dit is door Elwoud aan Branca verteld.

Erica en Wanda, vriendinnen van Branca, zus van de andere bruid, Carlyn hebben op het stadhuis gezien dat er een man met twee vrouwen en een meisje van een jaar of zeven als toeschouwers aanwezig waren.

Het meisje wees naar de bruiden. 'Is zij het nou?' vroeg ze. En later zei ze: 'Dat is toch idioot, je kan toch niet met een vrouw trouwen, dat klopt toch niet.'

Deze mensen waren verdwenen voordat de huwelijksvoltrekking was afgelopen. Aan het eind van het feest hebben Erica en Wanda op verzoek van de moeder van de bruid Carlyn, de aanwezige en zeer aangeschoten oom Ko en tante Resel, zus van de moeder van de bruid en haar man in een taxi naar huis begeleid en hebben hen daar naar boven gebracht. Tante Resel beweerde toen dat Carlyn ooit een verhouding met ene Selma had gehad. Hetgeen niemand bekend is in de familie.

Kleinere opvallende details: De speciale bruiloftsfotograaf leek erg nerveus. Het fototoestel van de man is twee keer op de grond gevallen. Thomas, neef van Marte, en Branca, zus van Carlyn, werden zoenend aangetroffen op het strand naast de strandtent waar het feest plaatsvond...

'Die zin wordt ogenblikkelijk geschrapt,' roep ik woedend, 'ben je nou helemaal, wie ik zoen doet er niets toe.'

'Grapje,' roept Erica, 'dit staat er niet, maar heb ik natuurlijk wel gezien.'
'Aldus voorlopige bevindingen, vijf dagen na de bruiloft,' zegt Wanda plechtig.

Nog een detail. Een detail dat ik niet vertel. Zelfs mijn vriendinnen niet: Elwoud en Thomas hebben een weddenschap afgesloten wie mij het eerst versiert.
Wat zouden de bruiden aan het doen zijn? Zouden ze ooit denken aan de families in Nederland? Ik veronderstel van niet.

Hoofdstuk 13

Het uur van drieën verlamt de hersenen
Het uur van vijf geeft potentie in het lijf

Dropping die straks gaat plaatsvinden in de zakken van Thomas en Elwoud. Ik lust hen nog steeds rauw.
Ik loop door de Van Eeghenstraat. Het is mooi weer. Ik speur. Ik zoek. Ik ben alleen.
Ik heb een kind met blonde vlechtjes naar binnen zien gaan. Ze droeg een springtouw bij zich. Een ander kind glipte ook naar binnen, een jongetje met rode krullen.
Het is nazomer. Het Vondelpark strekt zich uit als een ontvangende tuin voor alle mensen die in de zon willen zitten, die spelen, praten, skaten, ijs eten. Het geurt naar bloemen en in de grote vijver zwemmen zwanen en eenden en waterhoenen. Als ik mijn ogen dichtdoe, is er een kakafonie van geluiden, een luchtbellenconcert van een gewone middag in september.
Maar niets lijkt meer gewoon.
Sinds ik ben weggelopen na de voorstelling van de Zwarte Lady zijn er twee jongens die zich met mij bemoeien. Twee neven die mij steeds meer nieuws influisteren over de bruiden. Die langzamerhand een familiefilm voor mijn ogen laten afdraaien. Geen gewone familie. De gewone familie zijn wij.
Twee neven die mij om beurten mooie spannende Branca noemen. Twee jongens met eenzelfde tante. Dat is Marte.

Sinds ik Marte voor het eerst heb gezien, is mijn leven veranderd en ben ik begonnen met mijn droppings. Sinds Marte met mijn zuster is getrouwd, zijn er twee neven die zich als draden om mij heen spinnen. Ze trekken mij allebei naar zich toe. Ze spelen met mij en ontrafelen mij. Ze weten niet dat ik eigenlijk een marmot ben, helemaal niet spannend, zoals mijn vriendinnen, zoals Carlyn of tante Marte. Ze weten niet dat ik helemaal niets geef om sexy ondergoed, om spannende pakjes condooms uit je tas te laten steken. Dat het me niets doet om pillen te slikken, paddo's te eten of om te roken. Of om het interessant te vinden nachten lang te dansen in beroerde vunzige lokalen. Om tegen een muur gedrukt te worden en een hand onder je rok te voelen gaan, om in je borsten geknepen te worden en dat giechelend aan je vriendinnen te bekennen.

Ze weten helemaal niets van mij.

Ze weten ook niet dat ik het heel graag eens wil doen. Gewoon omdat ik wil weten hoe dat is.

Nadat ik ben weggelopen na de voorstelling hebben ze mij allebei gebeld.

Eerst Thomas: 'Waar was je nou? Ik verlangde zo je te zien. Ik wou zo graag over het stuk praten. Mijn eerste stuk, mijn eerste echte regie. Ze hebben prima gespeeld, de spelers. Goed naar me geluisterd. Ikzelf was natuurlijk een vondst in die goudverf. Veel commentaar van de familie natuurlijk. Ze vinden altijd wat, maar ze komen toch altijd weer. Wat vond jij? Vond je het slecht?'

'Nee, ik vond het stuk goed. Ik vond jou ook goed. Ik wou gewoon weg. Van de familie, van de bruiloftsfeer die nog om iedereen heen hing. Gewoon van alles wou ik weg. Dus ging ik weg.'

'Ik had graag nog wat willen drinken met je. Ik had je graag willen aanraken, op z'n minst zoenen.'

'Ik jou niet,' had ik gezegd. 'Ik wilde alleen zijn.'

'Thomas vertelde mij dat je alleen wou zijn. Dat je de bruiloftsfeer zat was, dat je de familie zat was,' zei Elwoud.

De neven hadden het dus over mij gehad. Misschien hadden ze elkaar wel geïnformeerd hoe ver de veroveringen op mij waren gevorderd.

'Tweedehands berichten,' zei ik.

'Je bent origineel en niet voor de poes, Branca.'

Zijn stem kreeg een wat omfloerste klank. Hij gaf mij een kus-geluid door de telefoon en zowaar ergens diep in mijn buik begon iets te borrelen. Stel je niet aan, wou ik zeggen. Ik ben ongehoord hitsig, opgewonden. Ik lust ze allebei rauw. Voor mijn part na elkaar, dat dacht ik. Dat zond ik uit door de telefoon. Zonder enig geluid.

'Ben je er nog?' Elwoud.

'Ik besta nog.'

'Ik zou graag eens echt met je praten. Weten van je leven, veel meer weten. Afgezien wat we aan het uitzoeken zijn over de bruiden. Die blijven nog bijna een maand weg. We hebben alle tijd om de raadsels op te lossen. Weet je wat ik gedaan heb, Branca? Ik heb een foto uit de serie die mijn vader op de bruiloft heeft gemaakt gewoon achterovergedrukt. Jij staat erop, voornamelijk benen van jou en een heel klein randje van je jurk. Het is een hele opwindende foto.'

'Er bestaat zoiets als auteursrecht,' bromde ik. 'Op je eigen foto, op het hele leven. Iets klopt niet.'

'De bruiden kloppen niet. Zij zelf niet,' zei Elwoud.

'Ik denk dat de bruiden op de Galapagos eilanden zijn. En dat ze op een of ander fabeldier rijden, een zeeleguaan bijvoorbeeld. En dat ze zich laten fotograferen tussen de vijgencactussen en de albatrossen. Het gevallen paradijs, daar zullen ze wel vertoeven.' Mijn stem klonk vlak.

'Daar zouden wij samen heen moeten. Heb je zin om naar de film te gaan, we moeten klein beginnen.'

'Ja,' had ik gezegd, 'alleen met jou, geen verdere familie.'

Ik blijf bij de ingang van het park staan.

Ik bespied het huis met het ronde raam en de laan van het park. Ik sta tussen de bomen en word daardoor voortdurend door een of andere hond besnuffeld. Wat zijn er veel honden in het park, ik begin ze als tijdverdrijf te tellen.

Dan zwaait de deur van het huis open. Het jongetje met de rode krullen loopt voorop, daarachter het meisje met de blonde vlechtjes, daar achteraan nog een kind, wat ouder, een meisje met sluik haar en dunne benen. Ze lopen zo het park in, vlak langs mij in de richting van de speeltuin.

Ik volg ze op een kleine afstand. Soms rennen ze even, het meisje met de vlechtjes staat stil en bukt zich om een bandje van haar schoen vast te maken. Ze heeft ranke beentjes met blonde haartjes erop. Ze draagt kleine rode sandalen met drie bandjes aan blote voeten. Haar spijkerbroek is afgeknipt en hangt met indrukwekkende rafels net over haar kuiten. De andere kinderen lopen gewoon door. Ze sprint hen na en dan valt ze. Ze smakt met haar knie in los liggend grint. Haar knie bloedt heftig en ze zet het op een krijsen.

Ik ben vlak achter haar. Gelukkig ben ik zo heel toevallig vlak achter haar. Ze schreeuwt snikkend de naam van de andere kinderen maar die horen haar niet.

Ik buig me over haar heen. 'Ik heb een hele grote zakdoek, een echte zakdoek,' zeg ik, 'kijk maar.'

Ze kijkt me met grote betraande ogen aan. Is dit de dochter van Marte, denk ik als ik haar knie verbind en met een ander papieren zakdoekje het vuil afveeg.

'Het is heel erg,' snikt ze, 'ze lopen gewoon door.'

'Hoe heet je?' vraag ik.

'Josmijn,' snikt ze nog wat na, 'maar ze noemen me Klosje.'

Door mijn zakdoek heen komt nog meer bloed. Familiebloed, denk ik.

'Ik wil ook naar de speeltuin,' zucht Josmijn, bijgenaamd Klosje.

'Natuurlijk, kom maar, ik breng je.'

'Maar het doet heel erg zeer,' zegt ze, 'ik vind bloed vies.'

'Ga je vriendjes maar halen, dan krijgen jullie van mij voor de schrik een ijsje.'

'Alledrie?'

'Alledrie,' zeg ik groots.

'Maar zij zijn niet gevallen.'

'Alleen ijs eten is niet leuk.'

Het jongetje met de krullen gaat erop uit en haalt het ijs. We zitten op een rijtje op een stenen rand bij een grote zandbak eensgezind te likken.

'Het doet nog steeds heel erg zeer,' zegt Josmijn.

'Straks moet je moeder de zakdoek maar wassen en er een pleister opdoen.'

'Ik heb geen moeder,' zegt Josmijn, 'moeders zijn stom, ik heb alleen een hulpmoeder.'

'Hoe is dat een hulpmoeder?'

'Een moeder die voor moeder speelt,' knikt het jongetje met de rode krullen.

'Ik heb zo'n vader.'

'Aha,' zeg ik.

'Als de zakdoek gewassen is, geef je hem later weer terug. Ik ben heel vaak in het Vondelpark, op het terras vlak bij de speeltuin.'

'Misschien,' knikt Josmijn.

'Hoe heet je vader?' vraag ik nog.

'Ralph heet haar vader,' zegt het grotere meisje met de lange benen, 'en ik heet Sara en hij Tim.'

'Aha,' zeg ik weer. Ik voel me op een vulkaan. Kijk ik echt naar de dochter van Marte? Ze heeft hele kleine teentjes met sterretjes-nagellak erop. Haar ogen zijn grijsgroen en staan wijd uit elkaar.

'Doet het nu nog zeer,' vraag ik als de ijsjes op zijn.

'Een heel klein beetje iets minder,' zegt Josmijn.

Dan rennen ze weg, de speeltuin in en vergeten mij.

Hoofdstuk 14

Drie weken voor de bruiloft werd ik zestien jaar.
Ik wilde niet jarig zijn. Ik wilde geen feest. Ik wilde geen ont-
bijttafel met cadeautjes en al helemaal geen speech van mijn
moeder. Ik wilde niet ondergaan in het bruiloftsgewoel dat
iedere dag in ons huis, de gesprekken en de gedachten bezet-
te.
'Oh jee en nou is Branca ook nog jarig deze week,' had ik
mijn moeder vertwijfeld horen uitroepen.
'Laat maar mam, dit jaar hoef ik niet jarig te zijn. Dit is het
jaar van de bruiden.' Mijn stem klonk stoer en zeer afwij-
zend.
'Meen je dat nou, kind?' Ik hoorde een lichte hoop in haar
stem klinken.
'Ik meen wat ik zeg. Ik heb er gewoon helemaal geen zin in.'
'Maar je wilt toch wel een cadeautje?'
'Geld,' zei ik stoer, 'ik wil alleen maar geld.'
'En een taart natuurlijk, ik bak wel een taart voor je.'
'Alsjeblieft geen taart,' zei ik, 'we eten straks de bruiloftstaart,
niet doen mam, echt niet.'
Op de ochtend van mijn verjaardag hoorde ik de deur van
mijn slaapkamer opengaan.
Ik had gelogen dat ik de eerste twee uur vrij had en dat niets
mij zo zalig leek als om uit te kunnen slapen op mijn ver-
jaardag.
'Ze slaapt sttt,' hoorde ik mijn moeder zeggen, 'ze wil echt
niets, Pim, laat dat kind nou lekker slapen.'
'Maar ik wil mijn dochter een verjaardagszoen geven als ze
jarig is, voordat ik de deur uit ga.'
'Sttt, laat nou Pim, ze heeft het uitdrukkelijk gevraagd, als
dat nou is wat ze wil.'
Ze dropen samen af en de deur gaf een zachte klik die me
absoluut had gewekt wanneer ik werkelijk nog zou slapen.

Toen ze allebei het huis verlaten hadden, stapte ik mijn bed uit en keek zeer lang naar mijn gezicht in de spiegel.

'Ik ben een vreemd wezen met monsterlijke sproeten. Veel te donkere wenkbrauwen, zelfs met de neiging tot doorlopende wenkbrauwen. Ogen: te blauw. Haren: te bruin. Gezicht te rond. Haar te krullerig. Benen te lang. Kortom alles te. Ik ben te. Ik ben helemaal te,' zei ik hardop. Ik schoot in mijn spijkerbroek en deed een oud jasje aan. Dit is de aller armoedigste verjaardag die ik ga meemaken, besloot ik.

Mijn moeder had een hoek van de keukentafel gedekt met een vrolijk kleedje, er stonden bloemen, er lagen verse croissants en een envelop. Geld, dacht ik en maakte zo hard de envelop open dat er meteen een scheur in een bankbiljet zat. Twee maal vijftig euro. Voor leuke dingen en een zoen van je ouders voor je zestiende verjaardag, stond er in mijn moeders handschrift op een ansichtkaart met een monsterlijk boeket erop. Kus, had mijn vader eronder gezet. Ik rook aan het geld.

Verbrassen, vandaag nog. Tijdens het ontbijt waren er drie telefoontjes die met de bruiloft te maken hadden. Een van de vader van Marte. Een van de winkel van de bruidsjurk en een van tante Resel die vroeg of ze nou echt niet bij de aankomst van de bruid in ons huis mocht zijn.

Ik verwees hen allemaal met een gedecideerde telefoonstem naar de betrokkenen en ik veinsde deze ochtend van helemaal niets te weten. Geen tijd voor zestien worden, stelde ik vast. Verbrassen, vandaag ging ik verbrassen.

Ik ben helemaal alleen, dacht ik.
'Ik ben helemaal alleen,' zei ik.
Mijn ouders hebben elkaar. De tweeling is eeuwig samen. Carlyn heeft Marte. Mijn vriendinnen hebben allebei zusjes van ongeveer dezelfde leeftijd. Zelfs de poes heeft een andere poes. Daarom hebben we twee poezen, om niet alleen te

zijn. Dat hadden mijn ouders gezegd toen de tweede poes werd aangeschaft.

Maar wel gewoon meer dan tien jaar na het eerste kind een nakomer kind op de wereld zetten dat vervolgens eeuwig eenzaam zal zijn, dacht ik voor de zoveelste keer

Een eenzame nakomer.

Zestien jaar ben ik al verschrikkelijk eenzaam geweest.

Ik at de croissant, dronk een pot thee leeg en ging. Ik ben vanavond niet thuis met eten, schreef ik op de bekende blocnote waarop we altijd boodschappen voor elkaar achterlieten.

Zelfs Erica en Wanda leken mijn verjaardag vergeten. Het lag aan mij, ik had er niets over gezegd. Toch had ik gehoopt dat ze het niet vergaten en iets voor mij hadden bedacht. Helemaal aan het eind van de dag zei ik het terloops, we stonden al bij het fietsenhok.

'Ik ben jarig.'

'Jarig?'

Ze keken me aan alsof ik gek was geworden. Toen begonnen ze te lachen: 'Oh jee, jij bent stom, waarom heb je niets gezegd. Wat gaan we doen?'

Jullie zijn stom, dacht ik. Maar ik zei het niet. Echte vriendinnen weten van elkaar wanneer ze jarig zijn, dacht ik. Maar ook dat zei ik niet.

Ze zoenden me allebei en merkten niet dat er echt tranen in mijn ogen kwamen. Het waren een soort eenzaamheidstranen veroorzaakt door alle voorafgegane bruidstranen. Van al die bruidstranen die iedereen in deze maanden produceerde was er niet een traan bij die met mij te maken had. Alles ging om Carlyn en om Marte. Verwaarloosd zusje huilt op eigen verjaardag, flitste het door mij heen. Het lelijke jonge eendje, dat nooit een zwaan zal worden.

'We kunnen niets doen, tenminste ik niet, ik heb bijles en daarna gitaarles en vanavond moet ik oppassen, stom wijf, had het dan eerder gezegd,' zei Wanda.

'Ik heb afgesproken mijn moeder te helpen en ik ga vanavond naar een tante op kraamvisite. Ik heb beloofd dat ik meega, het kan niet meer anders. Rund,' zei Erica.

'Geeft niet, geeft niets. Ik vier mijn verjaardag niet,' mijn stem klonk dramatisch en het had effect.

Ze vielen even stil en peilden bliksemsnel.

'We vieren je verjaardag morgen, of nee, morgen kan ook niet. Zaterdag,' stelde Wanda nuchter vast.

'We gaan eten, naar de bios en dan stappen,' knikte Erica. 'Afgesproken?'

Ik knikte genadig. Afgesproken. We gingen bijna elke zaterdag eten, naar de bios en stappen. Bovendien was ik dan helemaal niet meer jarig. Er was niets bijzonders aan hun voorstel.

'En jij betaalt omdat je jarig bent,' zei Wanda.

'Dit jaar moet "het" ervan komen,' giechelde Erica nog.

'Waar van komen?'

'Van "het",' beaamde Wanda.

Toen fietsten ze weg. Ik was de enige die nog niets van 'het' wist. Ik was de enige die een zus had die ging trouwen. Nog even en ik scheur je bruidsjurk in stukken, dacht ik en toen fietste ik weg, richting stad. Ik ging helemaal alleen in de meest vieze snackbar een driedubbele hamburger eten met friet en veel mayonaise en daarna ging ik kleren kopen.

Die avond van mijn zestiende verjaardag waren de winkels open. Ik zwierf alleen door de stad en ik kocht van de twee keer 50 euro een superjurk. Hij had alle kleuren van de regenboog en zat als een palingvel om mij heen en was zo kort dat hij net over mijn billen paste. Ik zag de verkoopster naar mij kijken. Ik zag dat zij zag wat ik zag. De jurk maakte mij ouder, volwassener. Billen en borsten schoten te voorschijn. In vergelijking met mijn verhullende niets-kleren die ik meestal droeg. Mijn benen leken onwaarschijnlijk lang.

'Hij is wel duur,' zei de verkoopster, 'maar hij staat geweldig.'

'Mijn zus trouwt, denk je dat dit geschikt is?'
De verkoopster schoot in de lach. 'Super,' zei ze, 'ik hoop dat de bruid weet op te vallen naast jou. Echt te gek. En heel sexy.'
Ze zei precies wat ik wou horen. Ik zwaaide nonchalant met de geldbriefjes.
'Het kan me niks schelen dat die jurk duur is. En reken maar dat mijn zus weet op te vallen, er is trouwens nog een bruid. Twee bruiden, dus daar mag wel iets naast.'
'Twee bruiden?' gniffelde de verkoopster, 'meen je dat nou?'
'Precies wat ik zeg, twee bruiden.'
'Waar je zin in hebt,' zei de verkoopster en gaf me een knipoog die ik niet begreep.
Met de jurk in een chique tasje ging ik een café in en bestelde een glas wijn. 'Proost,' zei ik tegen mijzelf.

Mijn zestiende verjaardag eindigde met een knallende ruzie. Mijn ouders waren nog op toen ik thuiskwam en alsnog waren daar de verjaardagszoenen en ook een stil verwijt dat ik zo lang was weggebleven.
'We vierden het niet,' zei ik stug.
'Natuurlijk kind, maar toch,' mijn moeder keek mij een beetje ongelukkig aan. De droeve hondenblik, stelde ik vast. Daar was ik steeds ongevoeliger voor aan het worden.
'Wat een schaap ben jij dan eigenlijk nog als je bedenkt dat onze Carlyn al trouwt,' zei mijn vader, 'ja zeg nou zelf: zestien jaar, dat is echt nog niks.'
Erger kon niet. Ik had zin om hem stevig in zijn te dikke buik te schoppen. Of de bril die zo akelig op het puntje van zijn neus stond gewoon af te rukken.
'Dit gevoel zal tot je dood toe blijven,' zei ik, 'want dan ben ik nog steeds helemaal niets.'
'Ach krielkip doe niet zo gekwetst,' zei mijn vader, 'ik meen er toch niks van'.
'Carlyns jurk is bezorgd,' leidde mijn moeder af, 'zo span-

nend Branca, hij werd na het eten gebracht in een prachtige doos, alles erbij natuurlijk, schoenen, de stola. Hij hangt boven op de logeerkamer, schitterend. Het is net of de bruiloft nu echt begonnen is. Waarom had je de boodschap niet doorgegeven, kind. Ze waren bijna voor niets aan de deur geweest.'

'De bruiloft begonnen,' zei ik, 'we hebben het nooit meer ergens anders over, maanden en maanden. Doet er niet toe mam, kijk, ik heb ook een jurk. Voor de bruiloft.'

Het was wel een heel klein stukje stof dat ik in mijn handen had. De kleuren knalden de kamer in. Ik hield hem voor. Dat had ik niet moeten doen.

'Mooi?' zei ik ook nog.

Dat had ik helemaal niet moeten doen.

'Heb jij die alleen gekocht, we zouden toch samen?' mijn moeder gebruikte nu ook nog haar droeve hondenstem.

'Ik zag hem, ik wou hem, ik kocht hem. Van jullie geld. Nou? Een jurk voor de bruiloft gekocht op mijn verjaardag. Mooi toch?'

'Het is niet veel meer dan een bikini,' bromde mijn vader.

Ik was zo dom om hem aan te passen. Mijn sexy jurk. Ik was zo ongelooflijk oliedom om de jurk aan hen voor te leggen alsof ik hun goedkeuring nodig had.

'Dit kan niet,' zei mijn moeder, 'dit kan echt niet Branca.'

'Wat kan niet?'

De woede trilde door heel mijn lijf. Ik paradeerde door de kamer. Ik voelde de jurk om mijn dijen klemmen. Ik zag hoe laag de hals was en hoe hard de kleuren. Maar hij was schitterend en ik zag aan de ogen van mijn ouders dat ik door die jurk een volkomen ander persoon was geworden.

Geen marmot. Geen uilskuiken. Geen lief nakomertje.

'Hij is te gek,' zei ik overtuigend.

'Ik vind hem ordinair, te uitdagend, niet passend bij de klassieke stijl van je zuster,' mijn moeder stem ging richting sturen en duwen.

'Ik ben mijn zuster niet,' gilde ik, 'ik ben van mezelf.'

'Zo gil je niet tegen je moeder,' zei mijn vader streng.

'Het hele huis heet hier bruid, vreet hier bruid,' riep ik nog kwader, 'het is een verdomd mooie jurk en ik trek hem gewoon aan. Klassiek, getverderrie, ik ga niet trouwen.'

'Ik moet Branca nageven dat ik het een spannende jurk vind,' knikte mijn vader.

'Pim, hoe kan je,' zei mijn moeder, 'ik zie haar onderbroek gewoon zitten, zo ga je toch niet in een bruiloftsstoet lopen.'

'Ik trek die jurk aan of ik kom niet.'

Het antwoord wachtte ik niet af. De deur sloeg met een zeer harde bons achter mij dicht. Ik gooide boven in mijn kamer de jurk over een stoel en kroop in mijn bed. Ik huilde als een woedend klein kind. Ik huilde omdat ik niet zo was als Carlyn en ook omdat ik dat helemaal niet wilde zijn.

Ik huilde het meest omdat ik volgens Wanda dit jaar 'het' moest doen. Zoals iedereen altijd alleen maar praat over 'het' doen.

Maar misschien wilde ik dat 'het' wel niet. Misschien wel nooit.

Hoofdstuk 15

We zitten in de bioscoop, Elwoud en ik. Zijn hand ligt nonchalant op de leuning van de stoel, de zijkant van zijn bovenarm raakt mijn bovenarm. Hij buigt zich steeds even voorover om iets over de film in mijn oor te fluisteren, ik ruik zijn adem. Ik voel heel even zijn gezicht tegen het mijne. Een fractie van een seconde.

'De volgende scène is waanzinnig goed, let op die blonde vrouw.'

Gaat Elwoud naar de film om de film, of gaat Elwoud naar de film om te observeren hoe ik de film vind. Ik kijk naar de scène. Ik kijk naar de blonde vrouw. Ik onderga een spanning die ik niet meer weet te plaatsen.

Dan rust zijn hand op mijn hand, hij knijpt die hand even heel fijntjes en laat hem weer los.

'Nou, te veel gezegd?' zijn lippen zijn bijna tegen mijn wang. Ik heb de neiging om mijn hoofd tegen zijn schouder te leggen en tegen hem aan te leunen. Ik doe dat net niet.

'Prachtig,' zeg ik en ik vraag mij af wat ik gezegd zou hebben als ik het niet prachtig had gevonden. Zijn arm komt nu losjes over mijn schouder te liggen. Ik ruik de stof van zijn jasje.

Ik grijp even zijn hand die over mijn schouder bungelt. Waarom doe ik dat in vredesnaam. Dan voel ik zijn mond die een zachte afdruk achterlaat in mijn haar.

'Je hebt zulke aantrekkelijke kriebelende krullen,' fluistert zijn stem.

Ben ik dit? vraag ik me af. Ben ik bezig twee jongens tegelijk te verleiden, wetend dat die twee zelfde jongens van elkaar weten dat zij tegelijkertijd mij aan het verleiden zijn.

We lopen dicht naast elkaar de bioscoop uit. Het is donker buiten, de avond is in vol ornaat gevallen. Amsterdam lijkt een grote flitsende neonreclame.

'Je hebt niets teveel gezegd,' beaam ik, 'wat een spel, wat een verhaal en wat een waanzinnige vrouw.'

Ik kijk naar Elwouds handen die ik aantrekkelijk vind, naar de wat slordige loop van zijn lange benen, naar de zwarte hoge schoenen en de zwarte stof van zijn broek. Hij draagt een jasje met een geel streepje erin en een hardgeel T-shirt. Elwoud is mysterieus, had Carlyn gezegd, je weet nooit wat hij denkt. Het is een hele aardige jongen, maar nauwelijks te peilen.

'Waarom denk jij dat de bruiden op de Galapagos zijn?' vraagt hij wanneer we tegenover elkaar aan de kroeg zitten.

'Zomaar een gevoel, ik vind het wel wat voor ze. Maar ik zeg het ook om van het gezeur af te zijn. Ze mogen gewoon niet zomaar weg zijn, iedereen wil het weten. Zo stom.'

'Wil jij het dan niet weten? Bij ons is het het grote familie-raadsel.'

'Bij ons ook, maar ik val er buiten.'

'Jij valt overal buiten geloof ik.'

'Ik heb trouwens "het meisje met de vlechtjes" ontmoet,' zeg ik bijna op een onverschillige toon.

'Echt?'

'Echt, het ging heel gemakkelijk. Ze viel namelijk, vlak voor mij uitrennend in het park. Alsof het zo geregisseerd was. Ik had een zakdoek en daarna trakteerde ik haar en haar vriend-jes op een ijsje. Bijna een klassiek verleidingsverhaal van slechte grote mensen en lieve onschuldige kinderen. Ze kwam uit het huis dat jij had aangewezen. Daar woont ze samen met haar vader, een moeder heeft ze niet, wel een hulpmoeder. Dat vertelde ze allemaal.'

'Allemachtig, jij scoort snel.'

'Dank je.'

'En wat zegt je gevoel hierover, zou het een kind van Marte kunnen zijn?'

'Bij Marte kan veel denk ik, maar eigenlijk ken ik haar nau-welijks. En ik kan me niet voorstellen dat ze jou met geld daarop af stuurt voor een zogenaamd fototoestel met een grote kans dat jij dan te weten zou komen dat haar kind daar woont, terwijl zij het bestaan van het kind verzwijgt. Heel erg onwaarschijnlijk.'

'Toch zou het kunnen, het zou kunnen dat de man die het geld aanpakte gewoon maar toevallig daar was.'

'Ik geloof niet in toeval, maar stel dat Marte een kind had, zou niemand van de familie dat dan ooit gemerkt hebben? Hoe is iemand in het geniep zwanger? Heel erg onwaarschijnlijk. Het kind is een jaar of zeven, een gewoon Nederlands kind met sluike vlechtjes en blauwe ogen, niets van het donkere uiterlijk van Marte. Waar heeft ze dat kind gebaard? Volgens mij heb je een eigenaardig sprookje verzonnen. Waarom eigenlijk?'

'Ik heb niets verzonnen.'

'Het bestaat gewoon niet. Ik vind die fotoserie al achterlijk genoeg. Wie is die tante Marte van jou eigenlijk. Vertel.'

Elwoud bestelt een fles wijn. Goede wijn, sterke wijn, na het derde glas krijg ik rode wangen en vervolgens ontzettend veel zin om tegen hem aan te zitten en te zoenen. Maar Elwoud praat en ik luister. Zijn mond beweegt steeds sneller op en neer, ik zie tanden en kiezen, de zachte rode kleur van zijn lippen. Zijn handen onderstrepen zijn verhaal met mooie bewegingen.

Je moest eens weten, denk ik, dat ik pas nog met je neef aan het zoenen was. En dat hij mij in het park op een manier tegen zich aandrukte die niet mis te verstaan was.

'Je bent zo opwindend,' had Thomas gezegd, 'waarom ga je niet mee naar mijn kamer.'

'Nu niet.'

'Waarom nu niet?' had hij gezegd, 'waarom nu niet, als je een andere keer wel meegaat?'

Ik was wel meegegaan. Ik had op zijn bed gezeten en zijn kamer bekeken. Het was een donkere kamer aan de achterkant in een van de grote huizen aan de Weteringschans. Het was er rommelig en ook leuk. Er hingen toneelmaskers aan de muur en overal lagen boeken in slordige stapels. Aan de muur hingen ook teksten, monologen uit bekende toneelstukken, spreuken en gedichten. En ook eigen teksten, had Thomas gezegd. Ik regisseer, ik speel, maar ooit zal ik ook schrijven.

'Nog meer?' had ik gezegd.

'De liefde, ik ben verslingerd aan de liefde en aan seks.'

Ik had een te grote slok van mijn wijn genomen. Daarna hadden we gezoend. Een dans van twee tongen en veel vocht. We raakten allebei buiten adem en ik voelde mij vreselijk week worden. Daarna waren zijn handen onder de stof van mijn T-shirt gegaan en had hij mij gestreeld, verrukt en ook lief.

'Je bent om heel zachtjes op te eten,' had hij gefluisterd, 'helemaal en heel heel zachtjes.'

Ik was opgestaan en had gezegd dat ik naar huis moest. We hadden afgesproken om naar de film te gaan. Hij had dezelfde film voorgesteld waar ik met Elwoud naartoe zou gaan. Ik loog dat ik die film al gezien had.

Hij grinnikte. Ik had hem gezoend, overrompelend zoals ik dat van Wanda had geleerd.

Toen hij even in de keuken was had ik bliksemsnel een van mijn teksten op de muur geprikt.

Wat jij denkt dat jij voelt
zal nooit zijn wat zij voelt
omdat zij weet dat zij anders voelt dan hij ooit zal weten
De waarheid is als een stromende rivier die nooit hetzelfde is

Thomas had mij naar huis gebracht en vanuit mijn eigen kamerraam had ik opgemerkt dat hij aan de overkant van de straat nog een tijd naar ons huis had staan kijken.

Ik luister naar het verhaal van Elwoud.

'Marte is een bezeten mens,' verhaalt Elwouds stem. 'Ze heeft altijd in onmin met haar zussen geleefd en ook met haar moeder. Ze heeft alle moeders van zich afgeschud en is vertrokken naar oorlogsgebieden. Een lettervretende front-journaliste, belust op de positie van haantje de voorste. Zij was ooit het wandelende nieuwsblad, inmiddels is dat tien jaar geleden, maar uit die tijd stammen vele mysteriën. Ze was nergens bang voor, zo gaan de verhalen, dappere Marte. Ze is geloof ik in geen vijf jaar thuis geweest. Iedereen was altijd ongerust, ze liet ook nauwelijks iets horen. "Mijn leven is van mij," zei ze vaak. Ook dat is een familiezin geworden. Waarom zou daar geen kind inpassen?'

'Maar waarom zou ze dan een kind niet gewoon zelf houden in plaats van het te verzwijgen?'

'Een kind is niets voor Marte. Ze is een kei in heel veel din-gen, maar ze heeft geen geduld. Niets. Als ik mijn moeder mag geloven gaat ze alleen maar van zichzelf uit en denkt nooit aan iemand anders. Maar ik geloof mijn moeder niet. Als er wat was met mijn studie, met mijn werk of met mijn ouders kon ik altijd bij haar terecht. Ik heb zelfs de sleutels van haar huis gekregen, die heb ik trouwens nog. Marte luisterde en oordeelde nooit. Ze drong je altijd terug op jezelf, wat jij wilde wat voor jou belangrijk was. Ze zegt altijd: "Het geeft niet wat je doet, als je maar bezield bent, als je je maar inspant om je dromen te verwezenlijken. Laat je niet door kritiek leiden, maar wel uitdagen." Ze heeft overdreven veel kritiek gekregen, vanuit de familie. Vanuit de publiciteit, ook vanuit de muziekwereld trouwens. "Ik zwem gewoon door," zegt Marte, "tot ik verzuip in het aller allerdiepste."'

'En dat trouwt dus met mijn zus,' zucht ik, 'wat zou ze in vredesnaam in Carlyn zien?'

'Ze zei dat Carlyn de eerste authentieke sfinx is die ze is tegen gekomen. "Ik heb haar vier jaar lang moeten verove-ren. Ik heb met veel passie eindelijk buit gemaakt. Een superkat, vol gratie en grillen. Ik heb het gevoel dat het leven nu pas echt gaat beginnen," dat zei ze, toen ze de bruiloft aankondigde in mijn familie. Ik was daar toevallig bij.'

'Hoe reageerden ze?'

'Ze waren razend nieuwsgierig naar die Carlyn. Dat ze een vrouw was verbaasde niemand. Marte had ook met een paard kunnen thuiskomen of een kasteel. Of een man. Mijn familie verbaast zich nergens over omdat ze allemaal eigenaardig zijn.'

'En jij?'

'Ik ook,' zegt Elwoud, 'en jij?'

'Ik kom uit familie middelmaat,' zeg ik opgewekt, 'wij verbazen ons overal over.'

'Alles in mij weigert om dat te geloven.'

Dan zoenen we, over de tafel heen. Ik word er steeds bedrevener in. Eerst Thomas, nu Elwoud. Zijn geur is aangenaam. Alles wordt vochtig en verlangend in mij. Ik voel zijn handen om mijn gezicht en zuig me vaster aan zijn mond. Hij kust zelfs mijn ogen en heel snel mijn oren. Ik hoop dat hij vraagt of ik meega naar zijn kamer. Maar hij vraagt het niet. Een uur later lig ik in mijn eigen bed en kan ik niet meer slapen.

Hoofdstuk 16

Iedereen was bezig om iets te doen. Te componeren, te schrijven, te knutselen of wat na te denken. Voor de bruiden, over de bruiden.

Alles kwam steeds meer in het teken van de bruiloft. De heilige datum van zeventien september kwam in het zicht. En iedereen om mij heen begon te zuchten dat er nog zoveel gebeuren moest, zo oneindig veel. Carlyn was mijn verjaardag zelfs vergeten en belde mij op een schuldbewuste toon pas de volgende dag.

'Sorry marmot, ik ben te veel bezig met mijzelf. Vergeef me. Ik trouw hoop ik maar een keer. Kus van je grote zus. Kus kus kus. We gaan samen een keer eten en dan krijg je natuurlijk alsnog een cadeau.'

'Ik wil geen cadeau. Ik ben al niet meer jarig. Het is de dag na de dag. Geen dag dus meer. Bovendien, wat zou zestien jaar worden in jouw ogen kunnen zijn.'

'Veel,' zei mijn zus raadselachtig.

'In ieder geval ben je mij gewoon vergeten,' stelde ik nuchter vast.

'Het is soms goed om met tradities te breken,' zei Carlyn zwakjes door de telefoon.

'O, ja,' zei ik vals, 'en daar gebruik je dan mijn verjaardag voor.'

'Wees niet boos, marmot, trouwen is zo ongelooflijk omslachtig. Soms begrijp ik niet waarom ik dit alles begonnen ben. Waarom zijn Marte en ik niet samen afgereisd naar een of ander ver land en komen we gewoon getrouwd terug.'

'Leg mij uit waarom je deze bombarie wil,' zei ik dringend.

'Het is ook allemaal zo gek,' zei Carlijn, 'ik heb altijd gedacht dat ik met een man zou trouwen. Wat ben ik in vredesnaam aan het doen?'

'Het gaat om Marte,' zei ik.

Er klonk een ongelooflijke diepe zucht door de telefoon. 'Je hebt gelijk zusje, lieve marmot, je hebt helemaal gelijk. Het gaat inderdaad om Marte. Die is nog steeds adembenemend.' 'En al die bombarie, waar is dat voor nodig?' vroeg ik nog eens zakelijk en ik inspecteerde ondertussen mijn teennagels, die er helemaal niet goed uitzagen met halve resten nagellak erop.

Het bleef even stil.

'Al die tantes en zo, zelfs onze tante Resel en oom Ko. Why, why? Ik wist niet dat jij zo familieziek was.' Ik zette nog even flink door met het kruisverhoor.

'Toevallig heb ik zelf een vertrouwensband met tante Resel,' zei mijn zuster, 'al heel lang.'

'Een vertrouwensband?' mijn stem klonk beslist ongelovig, 'meen je dan nou echt? Ik dacht dat jij haar ook in geen tien jaar had gezien.'

'Later doe jij ook dingen buiten je ouders om, dan heb jij zelf een relatie met wie jij wilt.'

Ik werd weer tot tienjarige leeftijd gereduceerd.

'Ik heb toevallig een kunstoma. Ik ben een geadopteerd kleinkind, wist jij dat eigenlijk?'

'Wat?' riep Carlyn uit, 'een kunstoma, wat bedoel je? Ben jij nou gek?'

'Helemaal niet. Ik zie haar vaak. Ik schuil daar. Ik krijg raad over alles. Ik kijk slechte soaps met haar en ik hoor dingen die ik zelf nooit had kunnen bedenken. Ze heet Kirsten en ze is zestig jaar.'

'Je meent het,' zei Carlyn. Ik hoorde een zweem van bewondering in haar stem.

'Het is echt waar,' zei ik zacht.

'Weten vader en moeder dat?'

'Nee, dat weten ze niet en dat krijgen ze nu ook niet via jou te horen.'

Carlyn schoot in de lach. 'Gluiperd,' zei ze, 'wat doe jij eigenlijk nog meer wat wij allemaal niet weten?'

'Ik ben in het geniep verliefd op een leraar, Damker. Hij heeft een sensationele snor. Dat moet verdomd lekker kriebelen als je zoent. En hij houdt van vrachtwagens, net als ik. Dat heeft hij een keer verteld in de klas. Daarna ben ik als een blok op hem gevallen. Maar hij valt op een stomme meid uit de vijfde. Nora. Ik heb ze een keer met de armen om elkaar heen weg zien lopen. Nora, hoe vind je zo'n naam?'
'Vreselijke naam,' zei Carlyn. Maar ze was alweer de bruid geworden. 'Luister eens, marmot,' zei ze gedecideerd, 'ik ben van plan de nacht voor de bruiloft thuis te komen slapen. Dan kunnen jullie, mama en jij, mij helpen met aankleden. Marte haalt me dan af met een of andere gekke auto. Romantisch hè? Ik zou zo graag in mijn eigen kamer slapen, ik weet dat het sentimenteel is, maar...'
'Die kamer bestaat niet meer,' mijn stem klonk koel, 'die kamer is nu mijn kamer en daar vind je echt niet meer terug wat jij ooit met die kamer had. Het is gewoon mijn persoonlijke zwijnenstal.'
Ben je nou helemaal gek, dacht ik. Moet ik voor jou uit mijn kamer gaan. Als je thuis wilt slapen, ga je maar in de logeerkamer liggen. Maar ik durfde al deze gedachtes niet uit te spreken.
Een zeer oud en machteloos gevoel van vroeger overviel mij. Carlyn was altijd sterker, altijd machtiger. Eigenlijk gebeurde er mijn hele leven lang wat zij wilde en moest ik me daar naar schikken. Nu niet, dacht ik. Waarom zou ik?
'Ik weet heel zeker, marmot, dat jij dit voor mij wilt doen,' zei ze.
'Een sentimentele nacht in het ouderlijk huis. Spelen jullie dat jullie voor de eerste keer samen slapen?' mijn stem klonk opmerkelijk vals.
'Volgens mij ben je veertien geworden in plaats van zestien,' zei Carlyn en hing op.

Diezelfde avond had ik afgesproken met mijn broers.

Zij waren mijn verjaardag helemaal niet vergeten, maar hadden mij op de dag zelf steeds tevergeefs gebeld. Ze brachten popcorn mee, wijn en twee begeerde super-cd's. Ze zoenden me uitbundig en toen ik het verhaal van mijn nieuwe regenboogjurk vertelde, lagen ze slap van het lachen op mijn bed. 'Jij weet volgens mij nog niet dat wij verplicht zijn om in een pak te verschijnen,' zei Wart, 'een echt pak met een overhemd en een stropdas.'

'Hij een gele en ik een rode, anders kan de familie ons niet uit elkaar houden,' zei Jacob. 'Aan het begin worden we dus gebrandmerkt, rood is Wart, geel is Jacob. Oh nee, andersom. Dus je begrijpt, we gaan voortdurend van das wisselen.'

'Dat meen je niet, hebben jullie een pak?'

'Nee wij hebben in ieder geval geen pak dat de goedkeuring van onze zuster kan wegdragen. Die inspectie hebben we al achter de rug. Dus kopen wij gewoon een nieuw pak,' grinnikte Wart, 'wij doen er alles aan om gelazer te voorkomen.'

'Wij gaan dus als verklede apen,' zuchtten ze allebei tegelijk, 'en wat wij erop verzonnen hebben is dat we bij dat hippe pak allebei een waanzinnige bril gaan opzetten. Wart een rode bij zijn rode das en ik een gele bij de gele das. Pas dan zijn we echt verkleed.'

Ik liet hun mijn jurk zien en ook nieuwe schoenen met hoge hakken en zwarte punten eraan. Ik liep een rondje door mijn kamer en struikelde bijna over mijn eigen kleren. Hun goedkeuring was bemoedigend.

'Je bent een absolute paradijsvogel met die hoge benen,' knikte Wart opgewekt, 'we krijgen het druk met het wegjagen van bruiloftversierders.'

'Mama gaat in een gifgroen gewaad,' vertelde ik, 'ze heeft weer zo'n indringende kleur uitgezocht, waar ze nou eenmaal dol op is, bijna fluoriserend. En papa gaat in driedelig grijs.'

'Groen is de kleur van de hoop,' zei Jacob, 'weten jullie dat een van de drie huwelijken na vijf jaar strandt?'

'Ik geloof dat ik dat niet wil weten,' zei ik, 'stel je voor, dan moeten we alles misschien nog een keer overdoen. Carlyn komt trouwens thuis slapen de nacht voor de bruiloft. Ze wil dat ik dan van mijn kamer ga.'

'Meen je dat? En dat doe jij natuurlijk graag voor je zus.'

'Ik heb er helemaal geen zin in.'

'Belachelijk, natuurlijk doe je dat. Kom gewoon bij ons slapen en dan bereiden we ons gedrieën voor op de grote dag. Jij gaat niet dwars liggen om zoiets lulligs.'

'Ik heb zin om afschuwelijk dwars te gaan liggen.'

'Puberaal gedrag als je het mij vraagt,' zei Jacob.

'Opa,' zei ik.We aten in een razend tempo de hoeveelheid popcorn op en bogen ons toen over een plan.

Ook wij werden geacht iets te doen op de bruiloft. Een act, een lied, een toespraak.

'Carlyn heeft al drie keer laten vallen dat de andere familie heel erg goed is in toneelspelen, in zingen en in spreken. Ze kunnen geloof ik alles. Een of andere neef Elwoud is tot ceremoniemeester benoemd, de gedachte is niet opgekomen dat wij zoiets ook heel leuk zouden kunnen,' peinsde Jacob.

'Carlyn is gewoon bang dat ze voor gek staat met ons zooitje ongeregeld,' knikte Wart opgewekt, 'wat kunnen wij aan die gedachte veranderen?'

We dronken de fles wijn leeg en zette alledrie wat krabbels op papier. Ideeën, suggesties, herinneringen. Carlyn trok in allerlei gedaantes aan ons voorbij.

'Wij zijn dus nu gehoorzaam aan het brainstormen. Carlyn heeft ons precies waar ze ons wil hebben,' lachte ik, 'nog even en we doen een kunstje omdat het nu eenmaal van ons verwacht wordt.'

'Ik kan alle mannen nadoen die Carlyn versleten heeft,' zei Wart, 'ik kan goed imiteren, vooral stemmen.'

'Ik kan alle ruzies naspelen die Branca en Carlyn hebben gehad,' zei Jacob overtuigd, 'dat was bijna elke week wel een keer prijs.'

'En ik kan alle pestgedoe van jullie met Carlyn nadoen,' snib-de ik.

Daarna was het lang stil en zapten wij naast elkaar op het bed hangend met mijn televisie. Opeens klonk er muziek die ons pakte. Wart sprong op van het bed en sleurde mij over-eind.

'Ik weet het,' riep hij uit, 'we gaan tapdansen. Wij met z'n drieën. Een uitputtende dans, jij in die sexy jurk en wij in de ouwe heren pakken. We gaan zover dat we uiteindelijk onze dassen afgooien, onze jasjes uitsmijten, onze mouwen opstropen en dan gaan we pas echt als beesten tekeer.'

'Muziek, we gaan direct oefenen, we schaffen alledrie tap-dansschoenen aan.'

'We noemen het "ode aan Carlyn", wij dansen haar gewoon het huwelijk in. Los, we gaan helemaal los.'

'Carlyn zonder woorden, zo heet de ode,' riep ik opgetogen. Ik gooide mijn vest uit en begon meteen.

'Het wordt een uitdagende dans waar iedereen uitgelaten van raakt.'

De tweeling ging aan weerszijden van mij staan. Ze tikten het ritme op de grond.

'Een twee drie vaarwel Carlyn, het ga je goed,' riepen ze vro-lijk, 'kom op, Branca, de rollen verschuiven. We dansen daar in die strandtent tot iedereen meedanst.'

'Ik ga nog van die bruiloft houden,' zei Wart.

'Het is toch gek dat iemand uit ons gezin echt trouwt. Het doet wat, of je wilt of niet,' zei Jacob.

'Willen jullie alsjeblieft gewoon blijven,' smeekte ik, 'anders red ik het niet.'

Hoofdstuk 17

Thomas wacht mij op in de kroeg. Vandaag is hij helemaal in het rood gekleed en draagt zijn haar in een paardenstaart. Even herken ik hem niet. Maar zijn stem komt me tegemoet met een harde rollende r. 'Brrrranca.'

Zien mijn vriendinnen hoe ik in zijn armen duik en hoe we elkaar zoenen in het zicht van iedereen?

'Gaat het lekker jongens,' zegt een man vlakbij aan een ander tafeltje.

'De liefde smaakt zoet,' knikt Thomas.

Er klinkt gegrinnik om ons heen. 'Over zeven jaren is het zout, die grote liefde,' zegt de kroegbaas. 'Ook een pilsie, meisje?'

Het meisje knikt. Het meisje ben ik. Thomas schuift zijn schoenen onder de tafel om mijn schoenen heen. Ik lijk afgeklemd. Maar het voelt ook behaaglijk. In de kroeg tegenover deze kroeg, zijn mijn vriendinnen. Ze zullen straks zogenaamd onverwacht binnenkomen, ze zullen mij met een 'Hé die Branca, jij hier?' begroeten, en ondertussen Thomas herkennen van de bruiloft. Als het even wil, drinken we gevieren iets en dan gaan ze weer.

Wij moeten die Thomas eens even echt zien, hadden ze met ernstige gezichten beweerd. Het is wel een ijdele kwast, Branca, zoals ie al die acts op de bruiloft deed, hij ziet zichzelf wel heel erg graag staan.

Jullie doen maar, had ik gezegd, toevallig vind ik hem leuk en zoent hij uitstekend.

'Waar denk je aan?' zei Thomas.

Ik bloosde. Niets is zo erg om te blozen in het gezelschap van een jongen die je leuk vindt.

'Ik dacht aan de bruiden,' lieg ik en neem een ontzettend grote slok van mijn pils.

We zullen samen naar de film gaan en daarna samen naar

zijn kamer. En ik heb het verleidelijkste ondergoed aangetrokken dat ik bezit. Het is net zo rood als de kleren die
Thomas draagt. Daarom bloos ik.
'Ik heb nog eens heel goed naar die foto's van Marte geke-
ken, het lijken wel geacteerde opnames, doet Marte zoiets?
Wat weet jij daarvan? Vertel nog wat meer over Marte.' Ik
heb met mijn stem alles weer in bedwang
'Bij Marte kan alles. Maar dit?' zegt Thomas. 'De avonturier.
Je hebt waarschijnlijk wel gehoord dat ze tien jaar geleden
alleen maar door alle oorlogsgebieden zwierf. Net niet dood,
maar steeds bijna. Mijn moeder was altijd woedend om de
risico's die ze nam en ook om de aandacht die de familie
voor Marte had, terwijl zij er dus niet eens was. Mijn grootouders stonden doodsangsten uit. Er gaan ook nog verhalen
dat ze een verhouding had met een of andere vluchteling en
dat ze zelfs getrouwd is geweest om die man in Nederland
een plek te geven. En vervolgens weer gescheiden natuurlijk.
Maar niemand weet de ware toedracht en Marte geeft nu
eenmaal niets prijs.'
'Zo, nog een geheim.'
'Het barst van de geheimen. Marte het meest. Maar ik ook.
Ik mocht bijvoorbeeld niet naar de theaterschool en ik heb
drie jaar zogenaamd rechten gestudeerd. Maar in het geniep
zat ik op deze school. Marte heeft alle kosten daarvoor
betaald, terwijl mijn ouders collegegeld voor mijn rechten-
studie betaalden. Pas in mijn derde jaar heb ik het bekend.
Grote hilariteit in de familie. Marte heeft voor mij gepleit bij
mijn ouders. Ze hadden geen keus. "Of jullie houden contact met hem en erkennen wat hij echt wil gaan doen, of hij
verbreekt het contact en gaat zijn eigen weg. Dan zal ik die
school blijven betalen tot hij daar de eindstreep heeft
gehaald."
Dat zei Marte. Ze haalde hun haat over zich heen. Maar ze
won wel. Mijn ouders zagen af van verdere strijd en ik kon
eindelijk mijzelf zijn. Nu zitten ze zelfs bij elke voorstelling

op de eerste rij. Ik had in die tijd zelfs de sleutel van Marte's huis.'

'Aha, net als neef Elwoud.'

Thomas kijkt mij verwonderd aan. 'Hoe weet jij dat?'

'Dat heeft hij mij zelf verteld.'

'Kan best, ik weet het niet. Ik zag Elwoud in die jaren nooit. Dat is zo'n brave broeder, die studeert en studeert en studeert, een soort super specialist. En hij speelt cello, net als Marte trouwens. Dat deden ze ook wel eens samen, geloof ik. Elwoud is een ongelooflijke droogkloot. Goeie jongen, maar zo serieus, net als zijn moeder.'

Ik zeg niets. Ik kijk naar Thomas, ik zie de ringvinger met de enorme ring waarin een rode steen zit. Ik zie de blonde lange wenkbrauwen en de krullende wimpers. De wat brede lippen en de lach die steeds over zijn hele gezicht schiet. Ik zie het oplichten van zijn toch al lichte ogen alsof er zonnestralen in komen. Alles heel diep in mij begint een beetje te trillen.

'En een kind, Marte een kind, wat denk jij daarvan?'

'Alles is mogelijk. Bij Marte. Ik bedoel, nou ja, ik weet het niet. Marte schrikt nergens voor terug en we hebben haar jaren niet gezien. Het zou best eens kunnen. Ik weet in ieder geval wel dat ze een aantal kinderen heeft geadopteerd, geld-kinderen bedoel ik, die bezoekt ze regelmatig, ze gaat nu eenmaal altijd over de wereld.'

'Je hebt wel een verdomd aantrekkelijke tante,' constateer ik. Ik zie dat Thomas bloost.

'Tante, tante, het is bepaald geen tante.'

'Toch is ze gewoon jouw tante.'

Thomas schiet in een aanstekelijke lach. Het blozen neemt toe. Hij pakt mijn handen en drukt er een kus op. Ik voel het vocht van zijn lippen over de rug van mijn hand gaan. Dan kust hij uitvoerig mijn handen aan de binnenkant. Zijn knie-en klemmen zich vertrouwelijk om de mijne heen en we schuiven als vanzelfsprekend dichter naar elkaar toe over het kleine tafeltje heen.

'Het klinkt zo gek dat Marte een tante is, wat schelen we helemaal. Ze is gewoon een tof mens en ze heeft veel voor me gedaan.'
'Ze wordt steeds toffer. Ik vraag mij af hoe gelukkig mijn zus met haar gaat worden.'
'Het lijkt mij een super combinatie. Die zus van jou is ook bepaald geen suikerbeest.'
'En jij, wie ben jij eigenlijk? Vertel me over jezelf.' Mijn stem klinkt bijna als een ontleedmes. Ik wil zelf onderzoeken. Ik zal mijn vriendinnen voor zijn. Ik zal weten met wie ik straks meega, op wiens bed ik zal zitten, liggen misschien zelfs. Er broeit een verlangen in mij naar de rommelige achterkamer aan de Weteringschans. Een verlangen naar zijn handen die onder mijn T-shirt zullen gaan. Ik wil zien of mijn tekst nog aan de muur hangt. Ik heb een nieuwe tekst in mijn tas die ik van plan ben achter te laten zoals ik vanochtend een broei-erige tekst heb achtergelaten op het klepje van de brievenbus van het huis op de Bredeweg.

Verwachting en herinnering
vloeien samen in de dag van vandaag
Het bloed dat stromen zal wordt de metamorfose

Ik zie het gezicht van mijn vader voor me wanneer hij bij thuiskomst het briefje van de brievenbus weg zal nemen. Misschien laat hij het mijn moeder lezen. Misschien gaat het andersom. Weer zo'n plakmalloot, zal mijn vader zeggen. Wie is dit toch? Het briefje zou waarschijnlijk in de vuilnis-bak belanden. Maar ik verbeeld mij dat ik mijn ouders deel-genoot heb gemaakt van de komende gebeurtenissen.
Ik wist het toen ik opstond. De afspraak met Thomas had ik met rode letters in mijn agenda gekrast. Vandaag gaat het gebeuren, ik wil dat het gaat gebeuren. Ik wist het zeker toen ik de allerverleidelijkste bh, rood met kleine pareltjes, laag uitgesneden, bijna mijn tepels zichtbaar, heel langzaam aan-

trok. Ik was bijna te laat op school gekomen omdat ik wezenloos naar mijzelf had staan staren in de spiegel. Op het moment dat mijn moeder mij met een driftige stemop de tijd had gewezen, had ik het splinternieuwe pakje condooms met een hartjesversiering in mijn zak gestopt en was met grote stappen langs haar heen naar buiten gegaan. Mijn hand had nonchalant het plakkertje op de brievenbus geplakt.

'Wie ik ben?' zegt Thomas tegenover mij, zijn ogen zijn grote lichtende meren waar ik me in wil onderdompelen. 'Ik ben, ja, wat ben ik eigenlijk. Ik ben de grootste kameleon die er bestaat, vandaag in het rood, kleur van de hartstocht omdat ik jou weer zou zien, morgen misschien blauw, over-morgen wit. Ik ben de meest geraffineerde zielenkruiper die je voor je kan zien. Alle rollen die de wereld voorschrijft wil ik kunnen spelen. Ik speel het leven, het leven speelt mij. En zelf ben ik het willige voorwerp van dat wat de mensen nodig hebben. Ik heb mijn stem, mijn hart en mijn lichaam in dienst gezet van die spiegels. Acteren is mijn allergrootste genot.'
'Toe maar,' zeg ik, en ik bijt heel zacht in zijn hand.
'Het is net als bij de dieren, geef ze een territorium en ze hebben een territorium al is het in een dierentuin. Ik heb mijn eigen dierentuin en alles is bruikbaar. In elke rol zal ik te eten vinden, als zoon van ouders, als neef van neven, als broer van zussen. En als minnaar van jou bijvoorbeeld.'
'Ik wil geen rol van jou,' zeg ik.
Thomas lacht ontwapenend. 'Voor jou geldt elke uitzonde-ring op elke regel.'
We kijken elkaar lang aan en schieten dan allebei in de lach.
'Ben jij eigenlijk met Marte naar bed geweest?'
Op dat moment staan Wanda en Erica voor mijn tafeltje. 'Hé die Branca, jij hier?' begroeten ze mij. Een vette knipoog van Wanda, die achter Thomas staat, bereikt mij.
'En jij bent toch Thomas, van de bruiloft van Branca's zus?'

Er is wat druk herkenningsgedoe. Zoenen, schuiven van stoelen.

'Goh, wat toevallig dat jij hier zit,' zegt Erica schijnheilig en schuift aan naast Thomas.

'Willen jullie wat drinken?'

'Natuurlijk willen we wat drinken.'

Ze kijken mij aan. Ze kijken Thomas aan. Ze bestellen pils en zelfs een tosti waardoor ik inschat dat we langer bij elkaar zijn dan ik wil.

'We gaan naar de film,' zeg ik. Mijn woorden hangen in de lucht. Niemand luistert.

'Oh leuk,' knikt Erica. 'Goed jou terug te zien, Thomas. Jij was tof op die bruiloft zeg, met al die acts over Marte. Je moet haar wel heel goed kennen. Wat een bruiloft hè, super. Jij bent toch een jonger broertje?'

Het woord broertje klinkt vals. Ze hebben de pesterige toer ingezet, mijn onderzoekende vriendinnen. Het document 'De Bruiden van Branca' zit absoluut in hun tas en straks zullen ze in kloeke letters hun bevindingen over Thomas vastleggen. Ik zie de voorbereidingen van deze overval in hun ogen. Ze zijn onversaagd in hun optreden en niet van plan voorlopig op te stappen.

'Ik ken haar inderdaad heel goed,' zegt Thomas, 'daar hadden we het net over, nietwaar Branca?'

Mijn hoofd knikt. Mijn handen hebben de neiging tot slaan. Ik kan de aanwezigheid van mijn vriendinnen in combinatie met Thomas niet verdragen.

'Maar een broertje ben ik niet. Ze is mijn tante.'

'Oh, een neef, dat is veel spannender, een neef en een tante. Zijn daar niet talloze intrigerende toneelstukken over geschreven? Ik vond je trouwens hartstikke goed, je speelde echt. Dat lijkt me nou zo heerlijk als je dat kunt.'

'Het is ook heel leuk,' antwoordde Thomas. _____

'Maar Marte gaf wel genoeg stof, gewoon kan je haar leven niet noemen zeg,' doet Wanda er nog een schepje bovenop.

Wanda is meer dan vreselijk, denk ik. Ik zie hoe Thomas naar haar kijkt. Ik hoor hoe hij losbarst in een loftirade over toneelspelen. Ik hoor hoe Wanda alle registers opentrekt over de toneelkennis die ze zelf denkt te hebben. Ik zie zelfs hoe ze haar hand op Thomas arm legt en een enthousiaste uitroep over een stuk van Ibsen weggeeft. Op dat moment wordt het mij te veel.

'Ik wil de eerste voorstelling halen,' zeg ik tegen Thomas, 'we moeten weg, want ik wil vroeg naar huis.'

'Neem gewoon de tweede voorstelling, wat jammer nou,' tettert Wanda. 'Die film loopt toch niet weg.'

Ik zie Thomas een moment aarzelen, maar dan dringt door wat ik gezegd heb. 'Moet jij vroeg weg, maar ik dacht dat...'

'Kom op,' zeg ik, 'we gaan. Dag meiden, tot morgen.'

Ik ben Thomas zielsdankbaar dat hij na twee uitbundige zoenpartijen met mijn vriendinnen een arm om mijn schouders legt en we zeer omstrengeld, door hun ogen nagekeken, de kroeg verlaten.

Hoofdstuk 18

Bloed.

Metamorfose.

Decor, de achterkamer van een oud huis aan de Wetering-schans. Amsterdam, de stad waar ik geboren ben. Niet meer dan tien minuten fietsen van mijn ouderlijk huis.

Een rommelige kamer met een bed dat geen eenpersoons-en geen tweepersoonsbed is. Een twijfelaar met blauwe lakens en een bonte lappendeken met heel veel primaire kleuren. Meegenomen uit India. Onder die lappendeken ben ik langzaam van marmot tot vlinder geworden, koekoeks-jong af. Voor altijd.

Geur, een mengeling van zweet, tranen.

Woorden zijn te weinig omvattend voor deze aardverschui-ving in mijn bestaan. Toch zoek ik woorden. Ergens moet iets vast te leggen zijn.

Ondertussen bakt Thomas eieren in de keuken. Het is over twaalven en ik heb net mijn ouders opgebeld om hun te zeg-gen dat ik onverwacht blijf slapen bij Wanda. Ik weet dat Wanda mijn logeerpartij zal bevestigen.

Ik wist niet dat je zo'n honger kan krijgen van vrijen. Op zo'n opwindende manier. Een andere honger, een ongeken-de honger.

Ik heb nog nooit zo stil in een bed gelegen.

In de bioscoop waren onze handen voortdurend in elkaar verstrengeld. De film was mooi, speelde in Cuba en de hoofdpersonen volgden een verboden liefde.

Toen de eerste vrijpartij werd ingezet, gleed de hand van Thomas heel liefdevol over mijn dijbeen. Ik voelde hoe de haartjes op dat dijbeen allemaal rechtop gingen staan, mil-joenen haartjes.

Ik ging zo zitten dat mijn dijen net iets uit elkaar waren en dat zijn hand net iets verder kon gaan. Iets in mij was roerloos.

'Je loog toen je zei dat je vroeg naar huis moet,' had Thomas gezegd toen we naast elkaar in de stoelen ploften.

'Ik loog, ik wou daar weg.'

'Aha.'

De film ontrolde zich terwijl mijn huiver alleen maar toenam. Ik zag mijn eigen spiegelbeeld van die ochtend, gekleed in de rode bh en de rode string. Ik zag Thomas voor me hoe hij had gespeeld in de Zwarte Lady als een goudgeschilderde tiran met een verguld geslacht en een body vol rode noppen.

'Je ruikt naar woud,' fluisterde hij in mijn oor, 'een verleidelijk woud.'

Ik voelde mijn tepels hard worden zonder dat er iets werd aangeraakt. Ik voelde hoe ik nauwelijks de film kon afwachten. Zelfs van een stem kun je bloedheet worden, had Wanda wel eens gezegd. Ik had haar uitgelachen.

De bioscoop was vlakbij de Weteringschans. We liepen dicht tegen elkaar aan. We gingen samen de trap op, we pasten net op de breedte van de treden. Toen Thomas de deur van zijn kamer opendeed en ik de bekende teksten aan de muur zag, ontsnapte mij een zucht. Die zucht ging over in een lange kus. Met onze jassen nog aan, bereikten wij het bed terwijl Thomas voortdurend kussen in mijn hals en haar gaf.

Hij begon mij met zachte bewegingen uit te kleden. 'Ik wil bij je komen,' fluisterde hij, 'echt helemaal bij je komen.'

Ik zei niets maar maakte hem alle bewegingen mogelijk. Het uitkleden was als een dans, veer na veer na veer. Ik verbeeldde mij dat ik muziek hoorde die ik nog nooit in mijn leven had gehoord.

'Toen jij danste met je broers, die tapdans, zag ik je zo, ik zag je gewoon steeds zo. Helemaal naakt,' fluisterde hij zacht toen ik naakt op de veelkleurige sprei lag.

Ik strekte mijn armen naar hem uit om niet zo naakt te zijn.
'Kom nou maar,' zei ik en trok zijn hoofd naar mij toe en streelde zijn rug.
Thomas maakte dat ik geluiden hoorde waarvan ik het bestaan nog niet wist. Ze kwamen van heel diep. Uit mij. Ik maakte ze zonder dat ik het gevoel had dat ik het was die zo zachtjes en lokkend kon jammeren en kon zingen tegelijk. Het was vochtig, alles was vochtig. Van zout en van zweet en van bloed. Er zat een beetje bloed op de lappendeken en vermengde zich met alle kleuren.
Thomas likte voortdurend de holte van mijn hals. En hij lag lang en roerloos in mij zonder iets te doen. Tot ik de roerloosheid verbrak en we zo dicht bij elkaar kwamen, zo dicht dat ik niet kon begrijpen dat ik bang was geweest dit niet echt prettig te vinden.
Toen we een lange tijd uitgeput naast elkaar hadden gelegen, maakte Thomas zich zachtjes van mij los en stak de kaarsen aan die vlakbij het bed op de kast stonden. Drie rode kaarsen, op de grond een berg rode kleren.

Nu bakt Thomas eieren.
Hij had een handdoek tussen mijn dijen gelegd met een lief en ontroerend gebaar.
Was het goed, vond je het fijn, zeiden zijn ogen. Maar hij vroeg het niet.
Hij komt binnen in de wapperende toneelkimono waar paradijsvogels op geborduurd zijn. Hij draagt een groot blad met twee borden waarop de eieren, tomaten, een paar stukken stokbrood en een fles wijn.
'Ik wist niet dat...'
'Sttt,' zeg ik, 'niets zeggen.'
We eten samen in het omgewoelde bed. Het blad staat tussen ons in. We kauwen, we vermalen via het voedsel elkaar nog een keer en lachen. We strelen elkaars gezichten en bijten heel zachtjes in elkaars schouders en in elkaars oren.

We drinken. We drinken teveel. Het eten is een vreemd intermezzo, terwijl ik afwisselend huil en lach, streelt Thomas mijn voeten.

'Je hebt hele mooie voeten,' zegt hij.

Thomas schilt met lome bewegingen een sinaasappel en voert mij de partjes. Dan schuift hij de lakens en de sprei van mij af en draait mij langzaam op mijn rug en komt over mij heen liggen.

'Ik wil nog een keer, nu op deze manier, ik wil...'

'Kom maar,' zeg ik, 'kom, ik wil ook... ssstt, niet praten, ik wil alleen maar voelen.'

Ben ik dit? Het is middernacht, het is een gewone dag. En ik bevind mij op de Weteringschans in het bed van een jongen die ik nauwelijks ken. Alles voelt licht, vederlicht. Ik verbeeld mij dat ik zou kunnen zweven.

Toch wil ik woorden zoeken.

Woorden die ik wil achterlaten op zijn muur.

We hebben wel allebei de woorden uitgesproken die ik verwachtte dat je die zeggen zou wanneer je het doet met elkaar. Thomas zei dat hij van mij hield. En ik zei dat ik van hem hield.

Maar ik zoek andere woorden.

Vlak voor ik de volgende ochtend de deur uitga, prik ik mijn tekst tussen de teksten op zijn muur. Het is niet de dropping die ik bij me had. Het zijn andere woorden, vannacht geschreven, toen Thomas diep slapend naast mij lag en ik alleen maar wakker wilde zijn.

Een sluimerende panter is in mij ontwaakt
zij gaat voor de beste prooi van de wereld
Haar poten hebben vleugels gekregen

Ik prik de nieuwe tekst vlak naast mijn oude tekst die er nog hangt.

Wat jij denkt dat zij voelt
zal nooit zijn wat zij voelt
omdat zij weet dat zij anders voelt dan hij weet
De waarheid is als een stromende rivier die nooit hetzelfde is

De dropping die ik thuis had geschreven en van plan was op het bord te prikken laat ik in mijn jaszak zitten.

Wat je voorneemt
moet je doen
Hoe kom je van 'het'
naar 'de'

Thomas moet net iets eerder weg dan ik. Heel langzaam fiets ik naar school en ik denk dat iedereen aan mij kan zien wat er met me is gebeurd. Het schokt me dat ik aan Elwoud moet denken, terwijl ik de geur van Thomas bij mij draag.

Hoofdstuk 19

Mijn vriendinnen zien alles. Deze ochtend ben ik niet te laat op school. Ze nemen me tussen hen in alsof ik een gewonde vogel ben.

'Welkom in de club,' grinnikt Wanda, 'we hebben voor je geduimd. En?'

'Vertellen,' fluistert Erica, 'mooie film gezien gisteravond?'

'Mooie film gezien gisteravond, mooie film zelf afgedraaid, ikzelf in de hoofdrol. Goeie rol. Rol die ik al heel lang begeerde. Genoeg zo?'

'Matig,' zeggen ze allebei, 'wij vertelden meer.'

'Het was grandioos,' zeg ik, 'ik wil meer meer en nog meer.'

'We want more,' roepen ze uitbundig over het schoolplein.

'Goeie jongen die Thomas, wel gek, maar leuk gek.'

'Bijzonder, stomme kleren, maar een mooie kop. Hij is zo'n artiest. Beetje eigenaardig.'

'Geen kritiek,' snoer ik hen de mond.

'We want more,' roepen ze weer.

Als ik in de klas zit bij Damker, vind ik voor het eerst zijn snor absoluut heel erg onaantrekkelijk. Stomme Nora, denk ik, wat zie je in zo'n ouwe zak. Ik kan nauwelijks mijn aandacht bij de les houden. Ik hoor Thomas' stem, ik voel zijn handen. Ik voel alles weer opnieuw in mijn lijf gebeuren. Wanneer ik met mijn ogen knipper, verschijnt er voortdurend een berg rode kleren. Ik zie mezelf weer liggen, naakt. Van voren van achter. Ik zie Thomas voor me, zijn schouders, zijn nek en zijn handen, vooral zijn handen.

In de pauze slaat Wanda met een geroutineerd gebaar het document open van 'De Bruiden van Branca'.

Vervolgontwikkelingen, lees ik.
Thomas zoekt toenadering tot Branca, Branca tot Thomas.

Branca gaat met Elwoud, naar de bioscoop. Via hem wordt duidelijk dat Marte een tijd van vijf jaar van de familie is weggeweest. Oorlogsjournalist aan het front.
Branca ziet Thomas spelen in de Zwarte Lady.
Vervolgens gaat zij ook met Thomas naar de bioscoop.
Branca ontmoet ene Josmijn, alias Klosje, meisje uit het huis in de Van Eeghenstraat. Zij blijkt een hulpmoeder te hebben. Is Marte die hulpmoeder?
Foto's van Marte blijven een mysterie.
Elwoud is in het bezit geweest van de sleutel van Marte's huis.
Gepland: gesprek met tante Resel heden namiddag.
Gesprek met de twee zusters van Marte, de moeders van Elwoud en Thomas. Dit gesprek zal aanstaande zaterdag plaatsvinden. Castingbureaus uit de Gouden Gids gebeld of de naam Marte Ravenga voorkomt in de bestanden. Geen resultaat.

'Aanvulling, zeer recent,' zeg ik. 'Marte schijnt getrouwd geweest te zijn met een buitenlander om deze man in Nederland te kunnen laten wonen. Dus ook weer gescheiden. Marte heeft de studie van Thomas betaald. Hij mocht aanvankelijk niet naar de theaterschool. Thomas heeft ook een sleutel van Marte's huis gehad.'
Mijn vriendinnen kijken me belangstellend aan.
'Deed het eigenlijk zeer?' vraagt Wanda.
'Nee,' zeg ik.
'Kwam je wel klaar?' vraagt Erica.
'Ja,' zeg ik, 'ik weet niet hoe vaak.'
'Dus vaak,' constateren ze vrolijk.
Ze trekken een cadeautje uit een van de tassen. Het is van hen samen, een cd beplakt met condooms. 'Om overal nog eens over na te denken tijdens het horen van deze muziek, een krankzinnig goeie band en voor de toekomst wat materiaal,' knikken ze en ze zoenen me uitbundig.
'En vanmiddag gaan we dus naar tante Resel en oom Ko,' zegt Wanda, 'voor het eerste interview.'

Ik heb met Thomas afgesproken op het terras in het Vondelpark. Tijdens mijn ochtend op school staan er drie ingesproken boodschappen van Thomas op mijn mobiel. 'Dag geurig woud. Ik hou van je. Ik droom mij af en meer.' Ik bestel een koffie verkeerd en schrijf in mijn dropping schrift. Duizenden gedachten buitelen opeens in mijn hoofd.

Ik bel Kirsten, mijn kunstoma, en als ik haar stem hoor, heb ik zin om heel hard te gaan huilen.

'Waar zit je, je bent buiten,' zegt Kirsten. 'Ik hoor het aan het gerommel in de lucht.'

'In het Vondelpark.'

'Is er wat gebeurd?'

'Nee, ik bedoel, ja.' Mijn stem bibbert raar.

'Je zou me nog komen vertellen over dat staartje van die bruiloft van je zus. Wanneer kom je dat doen?'

'Heel gauw. Er gebeurt veel. Hoe was die man?'

'Die man was eerst leuk en daarna vervelend. Hij wil verzorgd, worden, dat had ik heel snel door. Die zit bij mij dus niet goed, maar ik heb hem leren bridgen, dat was wel leuk.'

'Oh.'

'Wat is er nog meer?' vraagt Kirsten. Ik zie in gedachten hoe ze nu zal kijken, met opengesperde hardblauwe ogen over een brilletje heen, zomaar recht je hart in.

'Bij mij was, ik bedoel is, is het ook leuk,' zeg ik.

'Aha,' zegt mijn kunstoma, 'er is wat gebeurd dus. Begrijp ik dat er gebeurd is wat jij graag wilde dat er gebeurde?'

'Misschien nog wel meer.'

'Je bent gewoon blij en je wilt het vertellen, je wilt het gewoon kwijt aan een gek oud mens?'

'Zoiets.' Mijn stem huilt, jammert zelfs een beetje. 'Ik wil het geloof ik van de daken schreeuwen. Maar voor iedereen is het doodgewoon.'

'Die eerste keer vergeet je nooit. Helemaal nooit,' zegt Kirsten, 'kom snel een taartje bij me eten, we vieren alles.'

'Misschien kom ik vanavond wel, maar misschien ook niet.'

'Goed kind, ik merk het wel.'

'Tot gauw.'

'Pas op jezelf, tot gauw.'

Als ik de klik hoor en om me heen kijk, zie ik Josmijn Klosje voorbij het terras gaan. Ze loopt aan de hand van een jonge man met heel steil blond haar. Ze heeft me niet gezien en ik onderdruk de neiging om haar achterna te lopen.

Dan belt Thomas. 'Dag lieve Branca, ik heb het te druk,' klinkt zijn stem wat gehaast, 'misschien kunnen we morgen afspreken, of overmorgen.'

Ik verdring mijn teleurstelling. 'Overmorgen,' zeg ik.

Tante Resel zit breeduit op de bank en vertelt dat oom Ko uit vissen is en waarschijnlijk de hele middag zal wegblijven. 'Leuk dat je hier nou ook eens komt, Branca, zo zie je maar, door een bruiloft komen er altijd weer nieuwe dingen. Je moeder en ik hebben elkaar ook gewoon weer gevonden. En dat je nou ook je vriendinnen nog meebrengt.'

Ik kijk rond in de kamer waar het opvallend vol is met allerlei snuisterijen. Overal staan planten en beeldjes. Er is een grote hoeveelheid kleedjes die kleine bijzettafeltjes sieren en over de bank en de stoelen zijn gedrapeerd.

'Wij maken een terugblikkrant over de bruiloft, een soort welkomstgeschenk bij terugkomst van de bruiden,' vertelt Erica, 'dus wilden we ook naar u toe.'

'Wat leuk, wat enig,' lacht tante Resel.

'Wat vond u nou het allerleukste van de hele bruiloft?' Wanda kijkt er bijna zakelijk bij en zit met een indrukwekkende blocnote en balpen in de aanslag.

'Het dansen,' zegt tante Resel verrukt, 'ik heb me werkelijk wezenloos gedanst. En die tapdans van jullie, ik ben nou eenmaal gek op dansen. Dat doe je niet vaak meer op mijn leeftijd.'

Wanda noteert het.

'Wat kunt u over de bruiden zeggen?' vraagt Erica fijntjes en geeft mij een knipoog.

'Ik vond het stralende mooie vrouwen, echt mooi. Ontroerd was ik, dat mag je best weten. Wie had dat kunnen denken, dat ik nog eens mee zou maken dat er twee vrouwen trouwen, nou de hele buurt weet het hier, ik vond het zo interessant.'

'En die Selma?' vraagt Wanda terloops, 'hoe zat dat nou ook alweer?'

'Selma…Weten jullie dat niet, dat was ooit een vriendin van Carlyn, eigenlijk een kennisje van mij, een dochter van een vriendin. Die tapte pas goed, Branca, daar was jij echt niks bij. Maar die was dan ook beroeps.'

'Die is binnen,' grinnikte Wanda, 'een nul voor jou.'

'Ja die Selma was toen vreselijk verkikkerd op jullie Carlyn. Ze scharrelden hier zo'n beetje. Ik weet het niet precies, maar het sloeg wel in, geloof ik. Ik mocht er niks van zeggen toen tegen jouw moeder, Branca. Ach waarom zou ik. Carlyn kwam hier vaak en die Selma ook. Ik weet het ook niet hoor, wat die twee allemaal hebben uitgespookt. Vrijheid blijheid, zeg ik altijd maar en dat zei jouw moeder nooit, Branca. Daarom is het ook ooit misgegaan tussen ons. Jouw ouders waren altijd zo bezwaard en Carlyn was een wilde meid, die vloog daar tegen de muur. Die experimenteerde de hele wereld bij elkaar. Dat had ze van mij natuurlijk, familiebloed. Ik heb dan wel zelf geen kinderen, Carlyn is een soort dochter.'

'Wat zou u de bruiden toewensen?'

'Dat ze maar veel hier mogen komen,' lachte tante Resel, 'mijn huis staat wijd open, en ik wil die Marte wel eens leren kennen.'

'Dank u wel voor dit gesprek, we verwerken het,' zei Wanda plechtig.

'Als je over die Selma maar je mond houdt. Over exen moet je het niet hebben. Voorbij is voorbij,' zei tante Resel.

We beloofden niets over Selma te zeggen.

'Misschien zien we ze wel nooit meer samen. Misschien zijn ze al gescheiden voordat ze terugkeren op vaderlandse bodem,' zei ik somber toen we weer op straat stonden. 'Een welkomstkrant, hoe verzin je het.'

'Die Carlyn is ook een stiekemerd,' zei Erica peinzend, 'wat zouden de bruiden eigenlijk samen hebben wat wij allemaal niet weten.'

Hoofdstuk 20

Vlak voor de zeventiende september, de heilige aanstaande trouwdatum werd ik opgebeld door Nikkie, Carlyns beste vriendin die ooit vlak bij ons op de Bredeweg had gewoond. 'We hebben geaarzeld,' zei ze opgetogen, 'maar we willen je toch uitnodigen, Branca. Jij, als enig zusje van Carlyn. Voor de vrijgezellenavond.'
'Oh nee alsjeblieft niet,' viel er uit mijn mond.
'Wat zeg je nou?' vroeg Nikkie
'Ik vroeg wat jullie van plan waren.'
'Het wordt heel spannend,' zei Nikkie, 'daar houdt Carlyn van.'
'Wat dan?'
'Luister,' zei Nikkie.
Er volgde een goed in elkaar getimmerd plan vol verrassingen voor Carlyn. Ik mocht dan haar zus zijn, maar ik had niets in te brengen en dus had ik geen enkele stem in het plan. Een zeer vertrouwd marmotachtig aanhangsel mocht ik zijn om het pre-bruiloftsplaatje voor mijn zuster te helpen voltooien.
'Ik ben natuurlijk geen vriendin zoals jullie dat zijn,' zei ik nog met een licht ironische ondertoon, 'hoor ik daar nou eigenlijk wel?'
'Nee, je bent gewoon het zusje,' zei Nikkie opgewekt, met een nadruk op het.
Ik zei dat ik dat al wist. Toen ik opgehangen had, zei ik woedend: 'Stelletje ouwe tutten meiden, waarom moet ik met jullie mee, zoek het uit.'
Ik staarde lang naar de telefoon, keek mistroostig naar de Bredeweg. Ik liep naar de logeerkamer waar de trouwjurk van Carlyn in plastic gehuld sereen en uitnodigend hing te wachten, de bruidsschoenen ernaast in een doos, de stola daar weer naast ook in plastic, mooi gedrapeerd op het

logeerbed. 'Daar hang je dan, sister, big old sister, second mama, witte zogenaamde maagdenbruid,' siste ik als een boze slang uit het sprookje.

Ik zag opeens dat mijn moeder haar eigen gifgroene gewaad aan de roe bij het gordijn had gehangen. Ook daar stonden schoenen bij, feestschoenen met glitters en veren in dezelfde groene fluoriserende kleur. Die nieuwe schoenen had ze mij nog niet laten zien, de smiecht. Waarschijnlijk omdat ze er zeker van was dat ik zou uitroepen: 'Maar daar kan je toch helemaal niet op lopen, mam!'

Op de een of andere manier ontroerden die schoenen mij. Ze maakten iets duidelijk, alsof ik opeens heel scherp voelde dat mijn moeder wilde zijn hoe ze eigenlijk niet was, frivoler, deftiger, spannender. Wat weet je eigenlijk weinig van je ouders, ging het door me heen. Hoe waren zij eigenlijk ooit getrouwd? Hoe ging zo'n bruiloft in de goeie ouwe tijd? Voorlopig zou ik er niet naar vragen, benauwd voor de uitvoerige verhalen die mijn vader dan zou beginnen. En bij voorbaat zeer geïrriteerd over de stem van mijn moeder die daardoor heen zou gaan met dat temperende toontje. 'Je overdrijft, Pim, zo was het niet.' Mijn vader keerde zich dan altijd wat verongelijkt af en dook achter de krant. 'Een beetje bescheidenheid siert een mens,' zei mijn moeder dan steevast. Op dat soort momenten hield ik absoluut niet van haar.

Ik liep weer terug naar mijn eigen kamer waar ik mijn nieuwe regenboogjurk uit de kast haalde en op een knalrood gestoffeerd knaapje hing. Het leek niet meer dan een uitgerekt T-shirt. Ik haalde ook mijn nieuwe schoenen tevoorschijn, bloedrood met de zwarte overdreven hoge hakken en zwarte punten. Ik hing mijn outfit naast het bruidsgewaad. Het knalde de kamer uit. 'Zo,' zei ik hardop in de kamer, 'dit zijn de dames van de Bredeweg. Bruid, met haar mama en haar zuster, komt dat zien.'

Daarna belde ik mijn broer Wart en vertelde hem over de

vrijgezellenavond. 'Allemaal hippe meiden van de bank en ik moet ook nog naar de sauna met ze. Moet ik met een stelletje onbekende kippen in mijn blootje gaan staan, alleen omdat ik toevallig het zusje ben. Het zusje. Is dat niet een beetje veel gevergd?'

'Arm wurm,' zei Wart en schoot in een onbedaarlijke lachbui. 'Waarom zijn wij eigenlijk niet uitgenodigd?' vroeg hij zich af. 'Zoiets is een vrouwen aangelegenheid? De bruid met haar vriendinnen? En de bruidegom met zijn vrienden? Maar het zijn twee bruiden, waarom geeft Carlyn geen vrijgezellenavond met haar vrienden, dan zouden wij er ook bij kunnen zijn.'

'Zoiets regel je niet, zoiets wordt je aangeboden, onderga je,' zei ik bits.

'Schiet op, wedden dat Carlyn dit zelf in de hand heeft.'

'Barst,' zei ik.

'Gewoon gaan, aardig zijn, kop dicht en niet zeuren. Het gaat toch gewoon om Carlyn, voor haar is het leuk. Zoiets hoort er gewoon bij. Het gaat toch niet om jou.'

'Nee hoor,' schamperde ik, 'het gaat nooit om mij.'

'Verongelijkte onschuld,' riep mijn broer vrolijk.

'Barst,' zei ik weer en hing op.

Ik ging. Op het nippertje. Nagezwaaid door mijn ouders.

'Wat leuk kind, wat fijn dat je daar bij mag zijn, enig,' zei mijn moeder. 'Ik wou dat ik ook mocht,' dat zei ze ook nog.

'Ik zou wel eens willen weten wat daar wordt afgekletst,' bromde mijn vader, 'zet je oren open Branca, misschien is er nog iets nieuws te verwerken in mijn speech.'

Bij de sauna, zo'n chique op een van de grachten waar ik eigenlijk niet goed in durfde te gaan, overwoog ik om gewoon door te fietsen. Het zou niemand schaden, niemand zou mij echt missen. Zeker Carlyn niet. Maar met lome bewegingen zette ik mijn fiets vast met de gebruikelijke drie sloten. Bij de deur werd ik al opgewacht door een van de vriendinnen die als code een bos witte margrieten in haar hand had waarvan ze er mij eentje aanreikte.

'Voor Carlyn...' fluisterde ze met glimmende ogen, 'ik denk dat jij haar zusje bent?'

'Ik denk het ook,' zei ik.

'Linksaf is de kleedkamer, we zitten allemaal in de eerste sauna, die hebben we afgehuurd. Carlyn en Nikkie komen als laatsten. Natuurlijk weet Carlyn niet dat we daar allemaal in het duister van de nevel in ons blootje op haar wachten. Dat wordt lachen.'

Met tegenzin trok ik mijn kleren uit en ontmoette ik in de kleedkamer twee collega's van de bank die net hun blitse mantelpakrokken aan de kledinghaken hingen.

'Ik ben het zusje van Carlyn,' zei ik en zwaaide in een dappere poging om ook iets vrolijks te voelen, met mijn witte aangereikte margrietje. Ik gaf de twee blote onbekende vrouwen een hand en stapte dapper uit mijn schoenen, terwijl zij alvast naar de douche doorliepen.

'Ik wist niet dat Carlyn nog zo'n jong zusje had,' zei een van hen vriendelijk alsof ik een baby was.

'Zeker vergeten te vertellen,' zei ik fijntjes.

De andere dirigeerde mij met een fout handgebaartje: 'Kleed je gauw uit, ze moeten er zo aankomen.'

Ik rukte de kleren van mijn lijf en gooide ze op een ongeordende hoop en rolde een handdoek eromheen. Ik stond heel even onder de koude douche en stapte toen de sauna binnen. Het was er tjokvol en er ging een luid gejuich op toen ik binnenkwam. Ik zag niets anders dan zwabberende borsten en bossen schaamhaar. Ik schoof aan op een van de banken en herkende niemand hoewel ik toch heel wat keren op de werkplek van Carlyn was geweest. Het was er bloedheet en benauwd vol. Bovendien was iedereen door elkaar aan het praten.

'We zingen het lied op de wijs van "er is er een jarig" gelijk als de deur opengaat.

Ik voelde haar dijbeen tegen het mijne en schoof wat op,

maar daar aan de andere kant ontmoette ik een ander dijbeen. Ik zat hopeloos gevangen tussen erg veel vriendinnen-
bloot van mijn zuster. Tijd om na te denken had ik niet want
de deur zwaaide open en een blote Nikkie verscheen. Ze zag
er robuust uit met brede schouders en zeer ronde heupen.
Mijn zuster viel geheel achter haar weg, maar ze was er wel.
De cyclaamrode gelakte nagels kwamen mij opeens verwar-
mend vertrouwd voor. Het lied barstte los. We waren zeker
met twintig vriendinnen van tussen de vijfentwintig en vijfendertig jaar en een marmot van zestien.
'Te gek meiden, te gek, te gek, dat jullie er allemaal zijn. Dit
had ik nooit gedacht,' hoorde ik de stem van mijn zuster.
Ze zoende al die blote dames. Ze zoende ook mij. Ik voelde
een traan van haar wang op de mijne komen.
Om mij heen brak een hel van stemmen los. Ik hoefde niets
te zeggen. Ik was er gewoon.
Het zusje.
We zaten lang in de sauna.
Ik luisterde. Ik luisterde naar de verhalen en de uitroepen
van vrouwen die allemaal veel langer op de wereld rondlie-
pen dan ik. Het ging over mannen, heel veel over mannen.
Over kinderen krijgen. Over carrière en over geld. Het ging
ook over macht. Daarna ging het over uiterlijk en daarna
weer over macht. En een van hen was zo gek om een foto te
willen maken van de groep, naakt, met allemaal een handdoek om ons hoofd gerold.
De massa bloot vlees kirde het uit toen we op de vochtige
tegelvloer stonden. Met als verfrissende achtergrond de rij
douches. Omdat ik lang ben, mocht ik in de achterste rij
waar ik wat door mijn knieën zakte zodat alleen mijn hoofd
boven de vrouw die voor mij stond, uitkwam. Een dom
hoofd met een handdoek als monnikskap, van mijn lijf was
tenminste niets te zien. Carlyn stond in vol ornaat in het
midden op de voorste rij met haar armen om haar vriendinnen geslagen.

'Is dit niet fantastisch,' zei ze blij.

'Een foto om op de bank te hangen, in je werkkamer,' suggereerde er een.

De hilariteit steeg. Er werden zeker tien foto's gemaakt. Mijn knieën gingen er zeer van doen.

Daarna hulde iedereen zich weer in de kleren en begon ik enkele gezichten te herkennen. Ze waren allemaal aardig voor mij. Voorkomend bijna.

Voor de sauna wachtte en wit busje versierd met witte margrieten. Ik mocht naast Carlyn voorin zitten. In het busje draaide een videocamera met een film over Carlyns werk op de bank. Het lachen en vreemde uitroepen aanhoren was als aanhoudende muziek. We reden naar een totaal onbekend restaurant waar een ovale tafel gedekt stond. Ik zat recht tegenover Carlyn en het was een bonte film van gebeurtenissen uit Carlyns vriendinnenleven die aan mij voorbijtrok. Alle vriendinnen bezongen haar. De goeie dingen, de schaduwen, de spanningen, de overwinningen, de gehechtheid.

Carlyn luisterde geboeid en at nauwelijks. Ik luisterde ook geboeid en at te veel.

Ik zag mijn zus in twintig verschillende gedaantes rondgaan en ik realiseerde me dat ik de helft van haar leven niet wist. Mooi was Carlyn die avond, ze leunde achterover, ze bedisselde niets. Haar stem was nauwelijks te horen tussen al die andere stemmen. Ik was nog nooit zo ontroerd geweest door mijn zuster. Ik had haar nog nooit zo gelukkig gezien.

'Het gevoel dat dit in mij oproept,' fluisterde ik in het oor van Nikkie die naast mij zat. 'Wat goed dat je me toch hebt uitgenodigd, ik hoor er niet bij en ik hoor er wel bij.'

'Ze is nu eenmaal stapelgek op jou, op dat kleine zusje, dat weet ik toevallig heel zeker en heel goed,' fluisterde Nikkie terug, 'het zou voor haar absoluut niet compleet zijn zonder jou.'

Toen waren mijn bruiloftstranen daar. Ze stroomden werkelijk. Ze gaven mij bovendien een buitengewone toverkracht mee. Ik was dan zestien en de laatste in de rij maar ook ik had iets te zeggen.

Toen de laatste vriendin was uitgesproken en de toetjes op tafel stonden, stond ik op. Was ik het die ging staan en om stilte vroeg? Ja, ik was het werkelijk. Ik rekte mij nog eens goed uit en voor ik begon, keek ik even de rij langs en toen rustte mijn blik op Carlyn. Ik was dan het kleine zusje, maar ik stak wel een kop boven haar uit. Voor het eerst beleefde ik daar een ander soort waarde aan.

Ik had niets voorbereid, nergens over nagedacht. Eigenlijk had ik mijzelf alleen maar als een marmeren blok vol onwil naar deze avond toe gesleept. Wat voor chemie werd er in vredesnaam in mijn hoofd aangemaakt? Ik hield me vast aan het ijle blauw van Carlyns ogen.

'Ik ben geen vriendin van jou,' begon ik als een hamerslag, 'maar ik deel wel alle nestgeur met je, die wij van de Bredeweg, van onze ouders en van onze broers, hebben opgesnoven. Jij was groot en alleen, ik was klein en alleen. Mede door al jouw hulp en bemoeienis werd ik tot wie ik nu ben. Mijn tweede moeder.

Vanaf nu ben je van die taak ontslagen. Langzaam groeien we toe naar een vorm van gelijkwaardigheid. Ik wil je bedanken, voor alles wat je voor mij deed. Dat was veel. En, natuurlijk, ik wil je blijven volgen. Ik wil heel graag dat jij mij blijft volgen. Omdat jij trouwt, ga jij een eigen nestgeur maken waarvan ik hoop dat ik daar zo nu en dan ook bij mag zijn. Nu je dat gaat doen, besef ik pas echt hoe vertrouwd jij voor me bent. Ik hou gewoon van je.' Even was het beklemmend stil. 'Ik hou geloof ik van je cyclaamkleurige nagellak het meest,' er klonk nu een vrolijke lach om mij heen. 'En natuurlijk van je onverwoestbaar temperament, mijn god wat was het saai toen jij het huis uitging. Ik was vaak jaloers. Maar in deze dagen weet ik pas echt hoeveel ik om jou geef en hoe gehecht ik aan jou ben. En lieve Carlyn, goed onthouden, vanaf nu heb je een zus en geen zusje meer.'

Het applaus was aangenaam. Het klonk geroerd en gemeend. We liepen om de tafel naar elkaar toe en omhelsden elkaar langdurig. Weer tranen, nu echte zusterlijke tranen gemengd met de bruidstranen.

Daarna sprak Carlyn. Ik heb niets van wat ze zei kunnen horen.

Hoofdstuk 21

Thomas voor Thomas na.

Elke dag zijn stem uitvoerig op mijn mobiel, sms-berichten. Het zijn vaak fraaie teksten, importante uitspraken, een monoloog die ik moet absoluut moet lezen. Gedachten, mijmeringen, droppings, zelfs gedichten. Een stroom van taal spreidt zich tussen ons uit en ik loop op hoge benen vol verliefdheid op de liefde. Even is alles Thomas.

Mijn moeder heeft het snel door. 'Heb jij wat met die Thomas?' zegt ze onderzoekend.

'Ja, ik heb wat met die Thomas.' Ik probeer het koel en zakelijk te zeggen.

'Echt iets?' mijn moeders wenkbrauwen kunnen heel eigenaardig hoog tegen haar voorhoofd kruipen als een soort onderzoekende voelsprieten.

'Wij voelen ons op zijn minst tot elkaar aangetrokken,' mijn stem klinkt afhoudend, verliefd en volwassen.

Zou mijn moeder begrijpen dat wij de sterren van de hemel vrijen? Zou ze het waarderen wanneer ik zulk nieuws vertel? Hoe heeft Carlyn dat ooit gedaan, hoe deed de tweeling dat? Mijn mond zwijgt. Ik krijg niets over mijn lippen.

Behalve bij mijn kunstoma Kirsten, daar lijk ik wel een tetterende leeglopende luchtballon waar vervolgens alleen maar eten in verdwijnt. Ik blijf voortdurend honger houden.

'Het heeft je in de greep kind, de hartstocht, de stuipen krijg je ervan. Vertel mij wat, ik kan er nog last van hebben, ik zweer je, zo oud als ik ben. Ben je eigenlijk echt verliefd, kind?'

'Ik geloof het wel,' brom ik met een volle mond. Ik durf ook aan Kirsten niet te zeggen dat ik bij elke vrijpartij met Thomas aan Elwoud denk.

'Als Carlyn dat hoort,' giechelt mijn moeder, 'van jou en die neef van Marte, ach die lieve Carlyn, waar zou ze toch rondzwerven. Nog even, dan komen ze gelukkig weer richting Nederland.' Mijn moeder is teruggekeerd tot haar 'moeder van de bruid' rol. Ze ziet niet eens meer dat ik bij haar sta en dat ik volledig ben veranderd.

'Seks is de bron van alle creativiteit,' zegt Thomas, 'en tevens de angel van alle kwaad. Seks en liefde zijn voor mij twee hele verschillende dingen. Seks overheerst, het drijft je voort tot uitersten, alles wordt erdoor in je losgemaakt. Het jaagt de hartstocht aan en geeft je het gevoel dat je bestaat.'
'En liefde?'
'Liefde is iets wat ik niet bevatten kan. Ik denk dat het iets is wat moet groeien door de tijd, een soort onvoorwaardelijkheid tussen mensen. Eerlijk gezegd kan ik me er nog weinig bij voorstellen. Misschien komt dat als je ouder wordt.'
Zijn uitspraak geeft mij heel veel verschillende gedachten. Ik spreek niets tegen.
Thomas strekt zich in volle lengte voor mij uit. Hij is lang, langer dan ik en zijn lijf is gespierd en mooi. Hij vindt zichzelf ook mooi. Hij vindt ook mij mooi. Hij vindt de combinatie van zijn lijf en mijn lijf heel erg mooi en hij wil dat we samen voor de spiegel staan en daarnaar kijken. 'Je hebt een volmaakt lichaam, geschikt voor elke film. Je hebt een heel apart gezicht dat aan alle kanten goed te gebruiken zou zijn voor close-ups. Je bent nog helemaal in wording. Je gaat nog steeds mooier en voller worden. Eens maak ik een film van jou.' Hij staat achter mij, hij sluit zijn handen om mijn borsten en laat ze in de koelte van zijn handen verdwijnen. Hij duwt een heel klein beetje mijn benen uit elkaar met zijn knie en buigt met zijn lichaam mijn lichaam een beetje voorover. 'Je moet ernaar kijken,' zegt hij, 'kijken hoe ik zomaar in je ga. Heel langzaam en dan weer eruit. We worden een groot lijf, zie je dat. Een ongelooflijk opwindend gevoel. Is het niet fantastisch om te zien?'
Ik ben nauwelijks in staat om te kijken. Ik doe voortdurend

mijn ogen dicht. Er is teveel te voelen. Er zijn teveel trillingen en geluiden die zomaar uit mij wegvloeien. Ik ben nog niet toe aan kijken en al helemaal niet toe om erover te praten.

We zijn veel samen op de rommelige achterkamer op de Weteringschans. Even lijkt er nauwelijks iets anders te bestaan dan deze plek. De geur van onze lijven, het uitkleden, het aankleden. Het helemaal naakt zijn en het onderdompelen in een steeds weer terugkerend genot. We liggen in de twijfelaar met de gekleurde lappendeken en de blauwe lakens. We kruipen heel dicht tegen elkaar aan en fluisteren opwindende dingen in elkaars oren.

Thomas maakt hapjes klaar op een groot dienblad en serveert die naakt. We eten met onze benen in elkaar verstrengeld en tussen de happen in neemt hij steeds om beurten een tepel in zijn mond en zuigt verleidelijk zodat ik weer wil vrijen en we het eten laten staan.

Elke avond fiets ik als vreemdsoortig wezen dat nog maar aan een ding kan denken naar de Bredeweg. Als ik in mijn eigen bed lig, gaat mijn mobiel. Via de mobiel vrijen we nog een keer en nog een keer. Ik kom nauwelijks toe aan slapen.

Op een van die avonden aan de Weteringschans zitten we dicht naast elkaar in dekens gehuld met glanzende ogen spaghetti te eten. 'Het wordt tijd voor een bekentenis,' zegt Thomas en hangt twee spaghetti draden om mijn oren. 'Na zoveel vrijen, moet er maar eens echt wat worden prijsgegeven. Kan jij iets vertellen wat je nog nooit aan iemand hebt verteld?'

Ik bloos direct, terwijl ik nergens speciaal aan moet denken. 'Of een vraag, we kunnen ook een vraag aan elkaar stellen. Iets wat je heel graag wil weten?' Ik kijk naar de tatoeage op zijn arm en wijs ernaar. 'Dat bijvoorbeeld, waarom deed je dat, met wie en voor wie en waarom zit het er nog op.'

'Ik vind een bekentenis nog spannender,' zucht Thomas,

'dan krijg ik iets van jou wat nog nooit iemand anders heeft gekregen en jij van mij natuurlijk.'

'Goed, nu een bekentenis en dan morgen misschien een vraag.'

We zetten de borden weg en duiken diep weg onder de dekens, heel dicht tegen elkaar aan.

'Jij eerst?' vraagt Thomas.

'Goed ik eerst.'

Er volgt een vreemde stilte waarin we allebei voelen dat mijn gezicht een beetje trilt. Ik weet absoluut niet waarom, maar opeens zijn er tranen in mijn ogen. Een heleboel tranen die zomaar over mijn wangen glijden. Thomas kust ze weg, er komen er steeds meer. Ik voel me een zachte spons worden, iedereen kan op dit moment alles met mij doen.

'Vertel het nou maar,' zegt hij.

'Ik was dertien, zei ik, 'het is dus drie jaar geleden, ik voelde mij dom en ongelukkig. Carlyn was bij ons geweest met een van die nieuwe vrijers van haar, een hele leuke jongen. Ik geloof dat hij Karel heette. Aan tafel waren weer eens verhitte gesprekken geweest, zoals altijd als Carlyn thuis was. Die Karel zat als een verliefd rund naar haar te kijken en zei zelf geen woord. Carlyn kletste maar door, een soort op drift geraakte kip. Het ging over aandelen, over een heleboel geld dat zij had binnengehaald, omdat ze zo slim had verkocht. Mijn vader had alles stom gedaan, volgens Carlyn. Net het verkeerde. Mijn vader deed in haar ogen altijd het verkeerde. En mijn moeder ook en ik ook. Ik vond Carlyn ongelooflijk stom, en ze kletste en kletste maar. Voor mijn gevoel donderde ze ons allemaal van de tafel en was alleen zij maar geweldig. Opeens hield ik het niet meer uit, ik liep naar buiten. Aan de zijkant, vlak voor ons huis, stond de nieuwe auto van Carlyn, zo'n super luxe knalrode sportwagen. Ik weet niet waarom, maar ik pakte een scherp steentje en ik liep heel dicht langs die wagen, vervolgens kerfde ik met dat steentje een hele gemene streep in de glanzende lak. Die auto was net nieuw. Ik liet het steentje uit mijn handen vallen, liep weer naar binnen en zag haar autosleutel op de keukentafel liggen. Ik pakte hem liep naar de wc, gooide de sleutel in de pot en trok vervolgens door. Daarna liep ik weer naar binnen en schoof zo weer aan. Carlyn lag met haar hoofd tegen de schouders van die Karel. Ze zoenden en ze lachten. Niemand had mij gemist.

Een half uur later brak het tumult los. Eerst het zoeken en daarna schelden over die sleutel. Carlyn beweerde dat Karel hem had en Karel dat Carlyn hem had. Vervolgens liep Carlyn woedend naar buiten omdat ze dacht dat de sleutel misschien in de auto was blijven zitten.

Toen zag ze de streep. Ik had haar nog nooit zo horen vloeken. Ze stond daar volkomen hysterisch te gillen in onze straat. Mijn moeder probeerde haar naar binnen te krijgen, die schaamde zich voor de buren. En toen sloeg ze in haar kippendrift mijn moeder in haar gezicht. Dat was het allerergste. Dat gezicht van mijn moeder, die helemaal nergens iets aan kon doen. Ze was volkomen onthutst. Ik heb nooit gezegd dat ik het gedaan had. Die Karel hebben we nooit meer terug gezien. Het knaagt nog altijd. Niemand weet dit.'

Ik kruip weg in de holte van de schouder van Thomas. Ik huil om mijn moeder, ik huil om Carlyn. Ik huil ook om mezelf omdat ik nog nooit zo dichtbij iemand ben geweest zoals ik nu bij Thomas ben. Hij kust mijn gezicht en likt mijn tranen weg. 'Stil maar,' zegt hij en zijn stem klinkt lief, 'in wezen zijn we allemaal hetzelfde, we doen op onze eigen manier allemaal zulke dingen, allemaal.'

'Nou jij,' zeg ik.

'Nou ik.' Thomas zucht en verbergt zijn gezicht even in mijn haar. 'Het is ook drie jaar geleden. Ik was net op de theaterschool. Alles was zo ongelooflijk spannend, ik kwam uit een andere wereld, een keurig net jongetje dat acteur wilde worden. Mijn familie had niets met kunst en al helemaal niets met toneelspelen. Behalve tante Marte. Ik kon eindelijk doen wat ik wou en ik stortte me op die school zoals een dolfijn zich in de golven stort.

Je kon het zo gek niet bedenken of ik deed eraan mee. Op een gegeven moment hadden we een opdracht, we moesten een erotisch getinte fotoserie maken. 'Gebruik je eigen vriendin of vriend maar,' had de leraar gezegd. 'Zorg dat je echt iets laat zien wat eruit springt.'

Ik wist me geen raad met die opdracht. Ik had helemaal geen vriendin. Ik was nog zo bleu en bang toen, dat houd je niet voor mogelijk. Maar het was wel zo. Ik ging naar Marte, dat deed ik wel vaker. Ze was thuis en ze schonk wijn voor me in en ze vroeg me wat er was. Na heel veel wijn vertelde ik het haar. Ik kreeg een kop als een boei en van die zwetende handen. Is dat alles, zei ze. Kom op lieve neef, hier heb je een camera. Oefen, oefen eerst op mij en over een uur op mij en Carl, een vriend die hier komt slapen.

Ik wist niet wat me overkwam. Ze deed gewoon haar blouse uit. Knippen, zei ze, kom op, knippen. Ze deed haar bh uit. Ze ging staan en ik knipte en knipte. Ik knipte me wezenloos en ondertussen staarde ik naar dat blote lijf dat mij mateloos opwond. Toen kwam die Carl en die schoot in de lach toen hij het verhaal hoorde. Hij pakte haar beet en begon haar te zoenen. Ze deed steeds meer spannende dingen. Het leek wel alsof ze mij vergaten. Knippen jij, knippen, knippen, zei die Carl, kom op, laat die camera zoemen.

Het duurde niet langer dan tien minuten. Ik had mijn film. Ik kreeg op school veel complimenten en mijn waarde steeg ogenblikkelijk. Sindsdien heb ik het daar op een of andere manier gemaakt. Mijn angst voor die school was opeens weg.'

'En verder,' zeg ik, want ik begrijp dat het verhaal niet is afgelopen.

'Verder,' aarzelt Thomas, 'nou verder. Oké, je krijgt het hele verhaal. Ik was zo vreemd woedend toen Marte vertelde dat ze met een vrouw ging trouwen. Ik begreep mijn eigen woede helemaal niet. Ze zei het op zo'n speciale manier alsof alle mannen opeens niets meer waard waren. Ik kreeg het gevoel alsof ik ook niks meer was. Ik vond die Carl hartstikke tof, die man had ik een heleboel keer bij haar gezien. Ik wilde een soort revanche. Er kwam iets heel gemeens en pesterigs in mij. Ik dacht, ik heb nog zo'n oud fotorolletje over, dat gooi ik op de grond en iemand zal het vinden. En dan veroorzaakt dat een fikse rel in de familie. De foto's notabene, waarmee zij mij zo had geholpen. Ik snap niet wat mij bezielde. Dat rolletje zat de hele dag in mijn zak.' Thomas kijkt mij aan met hele lichte ogen.

'Verder,' zeg ik streng.

'Maar het was zo'n mooie bruiloft,' zucht hij, 'en ik vond die zus van jou zo'n ontzettend leuk mens. Ik vond het rolletje dus zogenaamd zelf. Een soort innerlijke grap van dat moment. Ik was alleen, niemand was erbij. Toch bleef er iets in mij ronddolen. Het voelde bijna onontkoombaar alsof ik toch iets wilde bederven. Toen belde ik jou. Ik hoorde mijzelf liegen, ik hoorde mijzelf tegen je zeggen: ik heb een fotorolletje gevonden. Ik wilde contact met jou, ik wou ook stoer zijn. Dat wil ik altijd en later wordt het dan altijd stom. Ik word gewoon altijd weer stom. Ik doe het zelf, maar het is net alsof een ander dat doet. De rest weet je.'

Thomas dook nu weg in mijn armen. Ik streelde het lange blonde haar dat in wilde manen over zijn rug hing.

'Ik schaam me dood,' bromt hij nog.

'Ben je eigenlijk met Marte naar bed geweest?' vraag ik.

'Ben jij nou helemaal gek. Natuurlijk niet. Marte kijkt wel uit zeg. Ik heb wel van haar toen die tatoeage gekregen om naar te kijken wanneer ik weer eens iets niet zou durven.'

'Eén mysterie is dus opgelost en eén vraag beantwoord,' zeg ik nuchter. Heel verschillende gevoelens buitelen over elkaar. 'Ik ben blij voor Carlyn. Of verzin je dit verhaal soms ook.'

'Nee, ik zweer je, dit is de waarheid. Thuis heb ik alle foto's van dat rolletje.'

'Ik heb ze dus ook,' zeg ik. Daarna schieten we in een verschrikkelijke lachbui. Tot tranen aan toe. Daarna is het stil en liggen we roerloos in elkaars armen. We denken allebei aan de bruiden. Ik verlang er opeens naar om Carlyns gezicht te zien.

Leugen en waarheid
neuken als beesten
De liefde loopt weg

Deze dropping laat ik achter wanneer ik het huis op de Weteringschans verlaat. Ik vind het heel vreemd stil buiten. Ik hoor alleen mijn eigen hart dat heel erg hard klopt. Zo hard als ik dat nog nooit heb gehoord. Wanneer ik thuis ben en in mijn kamer, bel ik Elwoud. Ik zeg dat ik de volgende dag op het terras bij de speeltuin in het Vondelpark ga zitten, om vijf uur. Misschien zal ik Josmijn Klosje zien. Heb je zin om daar ook iets te komen drinken, vraag ik.
Elwoud zegt dat hij zin heeft.

Hoofdstuk 22

De volgende ochtend op school in de pauze vraag ik aan mijn vriendinnen of een van hen het document 'De Bruiden van Branca' soms in haar tas heeft. Wanda knikt en haalt het in een oogwenk tevoorschijn.

'En?' zeggen ze allebei tegelijk.

'Er kan gestreept worden,' zeg ik plechtig.

'Wat kan gestreept worden?'

'Een van de mysteriën is opgelost,' ik probeer mijn stem enigszins nonchalant te laten klinken. 'Dat filmrolletje van Marte en die vreemde man, dat is gewoon een filmpje dat Thomas zelf heeft gemaakt. Ooit voor zijn school, dat moest hij toen maken.'

'Wat je gewoon noemt,' zegt Wanda.

'Marte werkte daar aan mee. Die zat er allemaal niet zo mee en hielp hem. Dat deed ze geloof ik vaker met zaken voor die school. Weet ik veel, zulke dingen moet je daar blijkbaar doen. Vastleggen van erotiek.'

'Bezopen,' zegt Wanda hartgrondig en schrapt in het document.

'Maar Thomas had het toch gevonden. Hij was toch geschokt, hij belde jou daar toch speciaal voor?'

'Het was een soort grap, althans zo leek het even. Hij heeft bekend dat hij speelde alsof hij het vond. Dus dat probleem is de wereld uit. Legale foto's uit een legaal verleden.'

'Alsof hij het vond?' Erica's mond blijft dom openstaan.

'Doe je mond dicht,' zeg ik geïrriteerd. Ik voel de afgeleide schaamte van Thomas terug in de uitdrukking op de gezichten van mijn vriendinnen.

'Hij speelde dus dat hij het filmrolletje vond.'

'Hij had het dus zelf op de grond gegooid.'

'Misschien om indruk te maken op mij,' hoor ik mezelf zeggen.

Ik word zonder enig mededogen keihard uitgelachen. 'Die jongen is knettergek,' knikt Erica overtuigd.

'Bezopen,' zucht Wanda, 'wat moet jij met zo iemand, Brancie?'

'Vrijen,' zeg ik, 'vrijen, vrijen en nog eens vrijen. Wat doen jullie kleinzielig zeg, alsof jullie niet eens een keer iets achterlijks hebben gedaan.'

'We strepen dit feit door. Blijft over: heeft Marte een kind of heeft zij geen kind.'

'Voor mijn part heeft ze een drieling,' roep ik baldadig.

Als de bel gaat, sist Erica mij toe. 'Jij verandert wel zeg, door dat geneuk. Weet die Elwoud eigenlijk al dat Thomas liegt als een zwijn.'

'Nee, dat weet die Elwoud nog niet.'

Ik ga thuis lunchen die middag omdat een barstende koppijn mij in de greep heeft. En omdat de uitdrukking op de gezichten van mijn vriendinnen mij in de war maakt.

Dat had ik niet moeten doen. Tot mijn verbazing vind ik mijn twee broers aan de keukentafel in druk gesprek met mijn ouders.

'Ik dacht een leeg huis te vinden,' zeg ik vermoeid alsof ze me allemaal te veel zijn.

'Schuif aan, zus, we komen nieuws brengen. Opwindend nieuws, bij jou hebben we al een tipje van de sluier opgelicht. Wij gaan namelijk over drie maanden voor een jaar naar Amerika. Wij gaan meedoen met een interessant videokunstproject.'

'Oh, nee alsjeblieft,' zeg ik, 'niet vandaag.'

'Wat is er met jou aan de hand?' vragen ze.

De kreukels in de wangen van mijn vader grijnzen mij direct toe. Ik schuif bij aan de grote tafel.

'Met mij is niets aan de hand, maandelijkse koppijn,' verzin ik listig en weet dat ik dan direct niet meer interessant ben.

Mijn moeder zet koffie, ze heeft een diepe rimpel in haar voorhoofd.

'Wij dachten dat voordat de bruiden terugkomen, het volgende feit maar gedropt moet worden. De familie Bredeweg breedt zich wederom uit,' probeert Jacob vrolijk te zijn
'Ik vind er helemaal niets leuks aan,' zegt mijn vader met een verongelijkt geluid in zijn stem. 'Het wordt gewoon domme centen verspilling. Een dwaas project, een gril, een materie waar jullie geen barst van afweten. Geld belust plan. Jakkes. En dan wordt dat dus een uitgestelde studie met het risico van afstel. Stom, oerstom. Ik ben absoluut tegen.'
Even is het stil. De koffie sist in het apparaat. Buiten zingen de vogels doordringend. Mijn moeder heeft haar droeve hondenblik weer ingezet en probeert bij mij steun te vinden door hoe ze naar mij kijkt.
'Vier kinderen, vier avonturen,' roep ik harder dan ik wil.
'Kom jij ook nog even,' zegt mijn vader, 'dat kan er nog wel bij.'
'Ik ga helemaal nooit studeren, dus ook nooit stoppen,' zeg ik overmoedig. 'Ik ga zo snel ik kan op een vrachtwagen werken en dan ben ik en route. Niemand die last van mij heeft.'
Niemand geeft antwoord. Er wordt een paar minuten zwijgend gegeten.
'Hadden jullie nou niet eens even kunnen wachten tot de bruiden weer thuis zijn,' zucht mijn moeder overdreven.
'Nee,' zegt Wart, 'de tijd dringt, dat kunnen wij dus niet. We hebben nu zeven maanden over de bruiden gepraat, we hebben een schitterende bruiloft meegemaakt. Het leven gaat wel door, ook bij ons. Nu is het tijd voor ons en voor andere dingen. Pa, we willen dat je luistert. Echt luistert.'
'Ik ga naar bed, ik barst van de koppijn,' zeg ik. Hun stemmen laaien hoger op, nog voor ik de deur bereikt heb.
'Ik hoor het nog wel allemaal,' zeg ik nog.
Aan het eind van de middag zal ik Elwoud zien. Of ik bel hem af.

Hoofdstuk 23

Daar gingen ze, de bruiden.
Eindelijk was het dan toch echt zeventien september geworden.
Allebei in het off white gekleed, chic klassiek. Allebei echte bruidsschoenen aan met hoge hakken en gekruiste bandjes. Twee stralende gezichten.
Ze schreden het stadhuis binnen onder luid applaus. Marte liep aan de arm van haar vader voorop. Daarachter Carlyn, aan de arm van haar vader en ook mijn vader. Wij keken. Ik stond iets achter mijn moeder. Mijn broers waren met camera's in de weer en de familie sloot zich als een front aan achter de voortschrijdende satijnen gestaltes. Opeens voelde ik een hand op mijn arm. Precies op het moment dat ik weer eens bij mijzelf vaststelde hoe alleen ik altijd was en dat ik Carlyn mijn hele leven lang, nog nooit alleen had gezien, toen kwam daar die hand.
Een mooie hand. Ringloos, omhuld door het begin van een wit overhemd en een rand van een mouw van een blauw pak. 'Ik heb jou nog niet persoonlijk gegroet,' zei de stem die bij de hand hoorde. 'Ik ben Elwoud, een neef van Marte en de ceremoniemeester van deze dag. Maar dat heb je inmiddels al begrepen, denk ik.'
Ik drukte die hand. Ik schoof met mijn blote arm langs dat donkere pak. Ik voelde mijn regenboogjurk als een gekleurde schubbenhuid om mijn lichaam sluiten en door de hoge hakken was ik mogelijk net iets te lang. Maar Elwoud was nog langer. Hij had grijsgroene ogen en heel veel zwart steil haar dat als een scheve vacht over zijn voorhoofd viel. Hij lachte en om zijn mond en om zijn ogen kwamen waaiers kraaienpootjes tevoorschijn.
'Duim je voor me of alles goed gaat vandaag en wil je me helpen als ik ergens niet uitkom.'

Hij fluisterde die woorden op een samenzweerderige toon in mijn oor.' We liepen naast elkaar langs de mensen die wachtten tot de familie voorbij was gegaan. Ik zag uit mijn ooghoek vandaan mijn vriendinnen staan en ik deed even net alsof ik hen niet zag.

'Ik had echt nooit gedacht dat Marte nog eens zou trouwen,' zei dezelfde Elwoud toen de bruiden elkaar het jawoord hadden gegeven. 'Maar met zo'n zus als die van jou, tja daar is zelfs Marte voor gesmolten.'

Ik zag de vier witte schoenen met de hakken en de bandjes heel mooi op een rijtje staan en ik vroeg me af of de fotograaf dit detail wel goed vastlegde.

Mijn moeder voelde voortdurend of haar hoed goed stond en de moeder van Marte leek zo breekbaar dat ik eerst dacht dat het haar oma was.

'Wat een modeplaatjes zijn het geworden,' hoorde ik de zussen van Marte die een rij voor mij zaten, tegen elkaar zeggen. De ene zus was in het rood gekleed en de andere in korenblauw. Allebei droegen ze broekpakken met wijde pijpen en eigenaardige gesneden jasjes met punten eraan. Ze hadden precies dezelfde kleur blond haar, een soort dik stro dat in twee gelijke wrongen tegen hun hoofden lag gebeeldhouwd.

Ik keek naar mijn broers die allebei getuige waren voor Carlyn en die allebei met zwierige volmaakt dezelfde bewegingen hun brillen afzetten toen ze moesten tekenen.

'Ze dragen toch geen bril,' zei mijn vader sukkelig.

'Welnee Pim, stt,' zei mijn moeder.

De getuige van Marte was een vriendin die Esther bleek te heten en een neef met een blonde paardenstaart. Hij legde zijn hand op zijn hart, boog voor de bruiden voordat hij tekende en zei plechtig: 'Het is mij een eer dit te mogen doen.'

'Onze artiest van de familie, een zoon van een andere zus, namelijk Thomas,' fluisterde Elwoud in mijn oor.

'Aha,' zei ik, 'wat een blonde God.'

Toen werd er gezongen. Als een bevestigingsceremonie van het jawoord. Het was een lied dat door een broer van Marte zelfgemaakt was Hij zong vierstemmig samen met zijn vrouw en zijn vier zonen. Het was een schitterend lied dat als een jubelende fontein door het stadhuis spatte.

'Dit is de familie Krullenbollie,' fluisterde Elwoud weer, 'ze komen van de andere kant van de wereld, Australië. Het zijn de enige religieuzen onder ons. Maar adembenemend wat ze kunnen, vind je niet?'

Ik knikte. Ik zag dat de hand van Marte op de schouder van Carlyn rustte. Ik telde de knoopjes op de achterkant van de bruidsjurk. Ik raakte verward toen de bruiden gingen staan. Opeens had ik behoefte tegen mijn moeder aan te kruipen en verder niets te hoeven.

Daar gingen de bruiden.

Weg van het stadhuis na een kleine ovatie op het grote plein, na handen vol met rijst die over hen heen werden gestrooid en zoemende camera's die elk detail leken te vereeuwigen.

Daar gingen ze, hand in hand, met losse haren en blozende wangen.

Nadat we gezamenlijk als bruiloftstoet een overweldigend aantal gekleurde zeepsopluchtbellen de lucht in hadden geblazen, reed de gestroomlijnde roomwitte trouwauto voor, met de tweeling als chauffeur en begeleider, de een met een knalrode pet en een gele bril, de andere met een knalgele pet en een knalrode bril. Ik verdacht hen ervan dat ze bij elke handeling van kleur wisselden.

Onder luid applaus stapten de bruiden in en sloten mijn broers met veel elan de portieren. Toen ze wegreden naar het volgende onderdeel van het feestprogramma, stond Thomas opeens naast mij. Hij droeg een strak lichtgrijs pak met een vuurrood overhemd en vuurrode schoenen. Geen das, wel een ring met een rode steen aan zijn ene hand en een ring in de vorm van een slang aan zijn andere hand.

'Wat heb jij een abnormaal spannende jurk aan,' zei hij, 'ik ben Thomas, een neef, maar dat wist je waarschijnlijk al lang. Jouw naam is toch Brrrranca.'

Zijn rollende r ging gelijk op met zijn wijd opengesperde ogen en een lach die over zijn gezicht vloog.

'Het is de spannendste bruiloft die ik totnogtoe heb meegemaakt,' zei hij en ondanks die bemoedigende woorden zag ik een diepe rimpel tussen zijn neus en voorhoofd verschijnen. 'Maar onder ons, trouwen is kolder, wat vind jij?'

'Op dit moment vind ik even niets,' zei ik ontwijkend.

Een bruiloft is een bonte stoet
vol aangeklede apen
en kwetterende mussen
Ergens sluipt een luipaard
Wie zal waar toeslaan

Deze dropping plakte ik op het herentoilet en op het damestoilet in de strandtent waar het bruiloftsfeest werd gevierd.

Hoofdstuk 24

Voor de zoveeslte keer zit ik op het terras bij de speeltuin in de Vondelpark. Het is na vieren en de kinderen zijn talrijk. Ik zie paardenstaartjes, haarspeldjes, tuinbroeken, uitgeschopte schoenen, zuigflessen, spenen en redderende ouders. Het is nog steeds mooi nazomerweer. Met een warrig hoofd lees ik zogenaamd de krant en speur achter die krant vandaan of ik het meisje Josmijn Klosje kan ontdekken.

Misschien zijn alle problemen zo opgelost, sms op mijn mobieltje. *Heb je ons nog nodig voor de verdere ontdekkingstour? Misschien liegt Elwoud ook wel een stoer verhaal. Marte wordt een legende voordat ze terug is van huwelijksreis. Leve de bruiden! Je onderzoeksteam. W. en E.*

Stelletje rotmeiden, ik doe mijn best. Ik probeer Josmijn te ontmoeten.

Het interview met de zussen van Marte gaat gewoon door, jullie afgepeigerde vriendin B. sein ik terug.

Van teveel neuken ga je scheel zien en raakt je kop verward. Keep it cool, baby, verschijnt er terug op mijn beeld.

Ik laat een ongelooflijke diepe zucht horen. Ik zie er vreemd tegenop om Elwoud te zien, maar ik verlang er ook naar. Ik verbeeld me dat hij weet dat ik de hele tijd aan hem moet denken. Zijn stem klonk gretig toen ik hem vroeg of hij zin had om koffie te drinken.

Dan staat opeens Josmijn naast me en trekt me aan mijn arm. 'Jij bent de mevrouw van de zakdoek,' zegt ze, 'en van het ijsje, kijk.' Ze laat me een gave knie zien, maar haar verbeelding is sterker. 'Kijk hier zie je nog iets, hij doet nog wel eens zeer.'

'Wil je soms weer een ijsje,' zeg ik, 'nu om dat je niet gevallen bent?'

'Ik mag geen ijsje van vreemde mensen aannemen zegt mijn

vader,' praat ze eigenwijs en gaat op een rand van een stoel zitten, met bungelende benen en onderzoekende ogen.

'Aha, boze mannen en boze vrouwen in het park. Maar ik ben toch eigenlijk niet onbekend.'

'Nee dat is waar,' zegt ze en haar ogen twinkelen, 'ik lust wel een hele grote want ik ben nu alleen.'

'Dan krijg jij een hele grote,' zeg ik en geef haar geld, ze rent weg om even later weer te verschijnen met een hardroze hoop ijs.

'Aardbeienijs, wil je een likje?'

Ik neem een fikse lik. 'Ik vind jou leuk,' zegt Josmijn vertrouwelijk en schuift nu gewoon aan bij het tafeltje, al likkend en smakkend, 'ik heb trouwens je zakdoek gewassen, hij ligt in mijn kamer. Het bloed ging er niet helemaal uit. Mijn vader wil wel een nieuwe zakdoek voor je kopen. Dat heeft hij gezegd.'

'Dat hoeft niet, geef mij de mijne maar terug.'

'Ik ga hem zo halen, ik woon heel erg dichtbij, daar het laantje door, de straat loopt hier vlak achter het park.'

'Oh ja?' zeg ik en volg haar vinger.

'Ga je mee die zakdoek halen, dan kan je mijn poppenhuis zien. Dat heb ik net gekregen van mijn vader. Hij heeft het zelf gemaakt, het is heel erg groot.'

'Is je vader thuis?'

'Ja die zit te tekenen en te schrijven. Dat doet hij altijd, hij is bijna altijd thuis.'

'Als je ijsje op is, ga ik mee,' zeg ik.

Ik moet weg zijn voordat Elwoud komt, gaat het door me heen. Hij zal me zoeken, hij zal denken dat ik verlaat ben. Ik kan het hem uitleggen, hij zal begrijpen dat ik deze kans niet kan laten gaan. Ik vouw mijn krant in elkaar en reken de koffie af.

'Kom op,' zeg ik tegen Josmijn, 'ik wil nou eindelijk wel eens mijn mooie zakdoek terug.'

Ze geeft me een hand en loopt vertrouwelijk naast mij. Haar

hand is kleverig, ik voel het aardbeienijs in mijn eigen hand-palm plakken.

We lopen regelrecht op het huis met het ronde raam af. Josmijn belt drie keer kort en de deur springt open.

'Wij wonen beneden,' zegt ze en rent me vooruit een brede gang in, 'er wonen een heleboel mensen in het huis, mijn vader heeft een tuinhuis in de tuin, daar werkt hij, kom maar.'

Ik voel me een vreemde indringer die een huis binnenkomt waar ik niet hoor. Overal denk ik een spoor van Marte op te vangen maar er is helemaal niets. We gaan een grote woon-keuken door, een trapje af en dan zijn we in de tuin.

'Papa,' joelt haar hoge kinderstem, 'pap die mevrouw van de zakdoek is er. Ze heet... hoe heet je eigenlijk, pap, waar zit je nou?'

'Branca,' zeg ik.

'Ze heet Branca,' roept Josmijn.

Uit het tuinhuis komt een man tevoorschijn. Hij is donker en heeft een korte zwarte baard en twee fonkelende ogen. Hij lacht vriendelijk naar mij en steekt een hand uit: 'Ik ben de vader van Josmijn, dank je wel voor het aanleggen van het noodverband.'

'Ik heb haar weer een ijsje gegeven,' zeg ik, 'ik zat op het ter-ras bij de speeltuin. Ze had er zo'n zin in.'

'Ze is heel goed in ijsjes krijgen,' zegt hij, 'mijn Klosje.'

'Klosje, is dat een bijnaam?'

'Een verbastering van clochard, de befaamde zwervers, weet je wel.'

Ik knik en weet even helemaal niets meer te zeggen.

'Wij zijn eigenlijk ook zwervers, ik hoor niet in dit land, ik hoor nergens echt. Ik ben een banneling, een vluchteling, eeuwig onderweg. Hier ben ik uiteindelijk na heel veel moei-te met de gerechtvaardigde papieren voor mijn bestaan neer-gestreken. Eens was ik journalist in oorlogsgebieden, eens... eens, nu ben ik striptekenaar en columnist voor een krant.'

Hij bekijkt mij peinzend. 'En jij?'

'Ik zit nog op school,' zeg ik en ik voel mij als vanouds een marmot die nog helemaal niets weet van wat er allemaal op de wereld gebeurt.

'Drink een kop thee met ons mee,' zegt de man, 'Klosje, zet jij thee voor ons?'

Josmijn Klosje rent vanaf het tuinhuis weer de tuin door richting keuken nadat ze mijn zakdoek in mijn schoot heeft gegooid.

'Je ziet nog wel een beetje bloed, maar hij is wel echt schoon. Het is mijn bloed, maar mijn vader zegt dat het niet erg is. Bloed kan heel spannend zijn, zegt hij.'

Ik bloos. Ik denk ogenblikkelijk aan het bloed op de lappendeken van het bed van Thomas.

De vader van Josmijn neemt mij mee het tuinhuis in, waar ik opeens zomaar naast hem achter een lange werktafel zit, temidden van stapels tekeningen en papieren.

'Mijn zus,' zeg ik aarzelend, 'ik bedoel, de vriendin van mijn zus, die was een tijd geleden ook journalist en maakte rapportages over de golfoorlog.'

'Oh ja, de vriendin van jouw zus?'

Ik bespeur nieuwsgierigheid in zijn stem. Zijn handen vegen wat papieren opzij, hij laat mij zijn nieuwste tekening zien, 'kijk die zie je morgen in de krant, over oorlog gesproken. Hoe heet die vriendin van jouw zus?'

'Marte,' zeg ik, 'Marte Ravenga. Ze is nog steeds journalist maar ze schrijft nu alleen maar over muziek.'

'En dat is een vriendin van jouw zus?'

'Meer dan een vriendin, ze is dé vriendin.'

'Aha,' zegt de man, 'hoe vind je de tekening?'

'Knap,' zeg ik hoewel ik er niets van begrijp.

'Marte Ravenga, is zeker zwart, lang, lichtbruine huid, een beetje oosters?'

'Ja,' zeg ik.

'Is ze kortgeleden soms getrouwd? Mogelijk met die zus van jou?'

'Ja,' zeg ik.

Hij steekt zijn hand naar mij uit. Zijn ogen fonkelen niet meer, ze staan somber, een beetje gelaten. Sommige gezichten zijn voor de eeuwigheid met droefheid getekend, heb ik Marte een keer horen zeggen. Wat gebeurt hier? Ik leg mijn hand in zijn hand, hij legt zijn andere hand daar even overheen en kijkt mij doordringend aan.

'Je zou bijna in een of andere besturing gaan geloven,' glimlacht hij, 'dat jij, juist jij nu in mijn tuinhuis zit. Marte Ravenga, die kleine heldin van het front, dat is namelijk de moeder van Klosje. Zo is de waarheid en ik ben de vader van Klosje. Zij wou het kind niet, ik wou het kind maar al te graag. Ik ben al mijn familie kwijt, ik ben mijn land kwijt. Ik kan nooit meer terug. Klosje is het enige wat ik heb. Marte Ravenga heeft een heel nieuw bestaan voor mij mogelijk gemaakt. Tot een kind aan toe. Ze was zelfs niet te beroerd om een zwangerschap en geboorte aan te gaan. Maar ze wilde volkomen vrij zijn en geen enkele echte binding met ons aan gaan. Dat was de afspraak. We waren samen tot en met de geboorte. Daarna was ze weg, dat was de deal. Maar helemaal weg is ze nooit. En aan de zijlijn zorgt ze mee, als is het alleen maar voor de centen. En Marte is dus nu met jouw zus getrouwd? Een gotspe.'

Onze handen liggen nog steeds in elkaar. De tuinhuisdeur zwaait open en Josmijn Klosje komt binnen met een blad waarop drie mokken met thee.

'Wat doen jullie?' zegt ze.

'Wij praten elkaar wat bij,' glimlacht haar vader, ik zie dat zijn ogen weer fonkelen als hij zegt: 'Wij zijn bij niemand bekend. Maar dat zal niet meer lang duren, nu Marte na al haar zwerftochten eindelijk ook iets van bestendiging heeft gevonden.'

'Kom je nou eindelijk mijn poppenhuis bekijken,' zegt Josmijn.

Ik knik.

'Ga maar kijken,' zegt de vader van Josmijn, 'ik heet Ralph en kom gerust nog eens langs, ik ben altijd thuis. Mogelijk zullen we elkaar vaker zien.'

Mijn benen zijn van hout wanneer ik achter Josmijn Klosje aan naar haar kamer loop.

Hoofdstuk 25

Als ik weer buiten sta, duizelt alles om mij heen. Ik ren heel hard in de richting van het terras bij de speeltuin. Ik zie Elwoud net weglopen met een fiets aan zijn hand. Ik zet de sprint in om hem in te halen. Hij schrikt als ik naast hem opduik.

'Ik heb een uur gewacht,' zegt hij zonder enig verwijt in zijn stem.

'Ik was daar binnen,' zeg ik. Mijn stem slaat bijna over en ik voel het zweet langs mijn voorhoofd gaan.

'Kom, spring achterop,' zegt hij, 'we gaan ergens anders heen.'

Ik spring achterop, ik sla een arm om zijn middel heen en leun tegen zijn rug aan. Ik zie de fonkelende bruine ogen van Ralph voor me en ook de ogen van Josmijn Klosje. Ik zie een poppenhuis met schitterende meubeltjes en heleboel kleine houten popjes met gesneden gezichtjes.

'Die heeft mijn vader allemaal gemaakt,' zei Klosje, 'het is een hele familie. Een echte familie, met een vader en een moeder en wel vijf kinderen, met tantes en ooms en met een heleboel neven en nichtjes. Ze hebben allemaal namen. En ergens bestaan ze echt, zegt mijn vader, in een heel ver land. Ons land, zegt mijn vader. Wij kunnen daar niet heen, misschien nooit. Maar misschien ik wel.' Ze bekeek mij onderzoekend. 'Heb jij familie?'

'Ja,' zei ik. Het klonk niet overtuigd. Ze speelde voor mijn ogen dat een van de poppenkinderen zogenaamd jarig was en dat iedereen op bezoek kwam met een heleboel cadeautjes. 'Ze hebben perentaart en ijsthee,' zei ze. 'Kom jij ook?'

'Ik kom ook,' had ik gezegd.

'Ik heb alleen een hulpmoeder,' zei ze, 'die zie ik bijna nooit. Maar hier in huis wonen een heleboel mensen en soms eten we met elkaar, dan zitten we met z'n twintigen aan tafel.

Mijn vader zegt dat dat ook een soort familie is.'
Ik voelde dat haar vader de kamer was binnengekomen, glimlachend stond hij daar een beetje nonchalant tegen de deur geleund en bleef op een soort afstand. Ik keek naar de punten van zijn stoere bergschoenen.
'Weet je wat het gekke is, Klosje,' zei hij opeens met een vreemde klank in zijn stem, 'Branca kent jouw hulpmoeder. Die bruid die je zag, weet je nog, waarmee Marte trouwde, dat is haar zus. Branca's zus.'
'Ik geloof er niks van,' had Klosje gezegd, 'en twee bruiden vind ik gek.'

Elwoud fietst uit het Vondelpark weg, de Overtoom op. Ik leun nog steeds tegen zijn rug en voel me alsof ik volkomen door elkaar gedraaid uit het reuzenrad ben gekomen. Hij stopt voor een kroeg, gooit zijn fiets tegen de muur en kijkt mij verwachtingsvol aan. Ik loop achter hem naar binnen en even later zitten we tegenover elkaar aan een raar klein tafeltje.
'Ik wil koffie verkeerd en een groot stuk taart,' zeg ik en staar naar zijn gezicht. Tegelijk is daar Thomas' gezicht, het lijkt alsof hij ook aan het tafeltje zit. Opeens kan ik zien dat ze neven zijn, er zijn echte familietrekken in hun gezichten, ze hebben dezelfde grote monden. De hand van Elwoud pakt mijn pols. 'Vertel,' zegt hij.
'Ik word langzamerhand helemaal gek van die bruiloft. Van Marte. Van alles.'
'Vertel,' zegt hij weer.
Ik neem de kop koffie tussen mijn handen en drink met grote teugen. Ik eet in een paar minuten een stuk chocoladetaart op en lik de slagroom van mijn bordje.
'Ik word er echt helemaal gestoord van,' zeg ik. 'Ik wil dat er nooit meer iemand gaat trouwen. Ik bedoel...'
'Vertel nou maar.'
Er verschijnt nog een hand om nog een pols. Zijn hoofd is

heel dichtbij en ik ruik de geur die ik ook in de bioscoop heb geroken. Het is een hele verfijnde geur die ik nog nooit ergens anders heb geroken. Ik was vergeten dat hij zulke zwarte wenkbrauwen en zulke lange wimpers heeft.

Dan vertel ik. Over het filmpje van Thomas. Over Josmijn Klosje. Over haar vader Ralph. Over de hulpmoeder Marte. Over de houten poppetjes familie. Ik vertel hem niet over de vrijpartijen met Thomas.

Als ik stil val, zie ik dat Elwoud op zijn lippen bijt en mij nog steviger bij mijn polsen vastgrijpt. Hij lijkt opeens even heel ver weg.

'Die man aan wie jij dat geld gaf voor dat zogenaamde fototoestel zal dan wel een van die mensen uit het huis zijn,' zeg ik.

Elwoud knikt. 'Die heeft dus kennelijk zijn mond voorbijgepraat. Wie weet waar dit allemaal goed voor is. Je kan toch geen kind blijven verbergen dat je op de wereld heb gezet. Is Marte nou helemaal getikt?'

'In ieder geval nu niet meer,' knik ik, 'wij weten het, Thomas weet het.' Ik slik in dat mijn vriendinnen het ook weten.

'Maar wat zal mijn oma, Marte's moeder, dit vreselijk vinden. Dat ze het gewoon niet weet, bedoel ik. Moet je voorstellen dat het je dochter is?'

'En jouw moeder en die van Thomas?'

'Die zijn alleen maar boos, die lopen over van kritiek op Marte. Als ik daaraan denk begrijp ik het wel dat Marte de dingen voor zichzelf houdt. Maar ik vind het tragisch, dat is toch geen familie, zo vervreemdend allemaal.'

'En Thomas?' heel voorzichtig probeer ik te vragen hoe hij denkt over het zogenaamd gevonden filmrolletje.

'Thomas wil nu eenmaal altijd indruk maken, wel een verkeerde indruk als je het mij vraagt. Thomas blijft echt een hoofdstuk apart in de familie, net als Marte natuurlijk. Ik vind het wel reuze sportief van hem dat hij het jou al zo snel gezegd heeft, dat lijkt mij verschrikkelijk. Wat een afgang zeg. Dat kun je met recht een bekentenis noemen, die is hij mij natuurlijk ook nog schuldig. Misschien was hij het helemaal niet van plan om het ook aan mij te vertellen, dat kwam natuurlijk doordat ik hem belde en vertelde over die man van dat geld en dat kind. Waarschijnlijk wou hij opeens laten zien wat hij wel allemaal van Marte weet. Het lijkt wel of de hele familie altijd weer rivaliseert om Marte.'

'Jij ook?'

'Ja, ik denk ik ook. Marte is de verbindende en de verwijderende schakel tussen ons allemaal. Heeft Thomas je verteld dat hij niet naar die theaterschool mocht en dat zij het gewoon regelde?'

'Ik weet het.'

'En Marte zelf, tja Marte, het verbaast me niet echt dat ze zoiets deed voor Thomas. Van die man en dat kind verwondert me eigenlijk ook niet echt, maar het gaat wel ver. Wat ik wel erg vind is dat wij als familie er niet gewoon bij betrokken zijn, dat zij veronderstelt dat wij zoiets zouden afkeuren.'

'Zo gewoon is het niet.'

'Nee, maar er is veel meer begrip en tolerantie dan zij denkt. Ik geloof dat Marte denkt dat wij, de familie, in de middeleeuwen leven en alleen zij in deze tijd. Het is ook een eigenaardige arrogantie.'

'Maar dat is toch zo?'

'Ik in ieder geval niet en mijn oma ook niet, dat weet ik zeker. Maar mijn oma kan niet tegen haar drie dochters op. Ze is gewoon gaan zwijgen en het lijkt wel of ze zich heeft teruggetrokken uit het leven, sinds ze moeilijk is gaan lopen. Zij is gek op Marte, dat weet ik. Maar ze mag niet gek zijn op Marte, van mijn moeder niet en ook niet van die van Thomas. Eigenlijk is Marte een soort assepoester van de familie.'

'Nou nou, dan zou mijn zus dus de prins op het witte paard zijn.'

We zuchtten allebei diep en besluiten tot nog een stuk taart.

'En wat heb jij eigenlijk met Marte? Als iedereen zoveel met haar heeft, hoe zit dat met jou?'

De vraag is nonchalant bedoeld. Maar ik zie dat er een heleboel kraaienpootjes om zijn ogen verschijnen. Hij lacht, Elwoud en weer zie ik de verwantschap met zijn neef Thomas.

'Veel,' zegt hij en bekijkt mij peinzend.

'Vertel,' zeg ik.

Als de tweede ronde koffie en taart op de tafel staat, begint hij te vertellen. Ik blijf de hele tijd naar zijn handen kijken. Tot ik opeens zie dat ook hij een tatoeage op zijn arm heeft, hij piept net even onder de manchet van zijn overhemd uit en dan weer terug. Ik kan niet zien wat voor tatoeage het is.

Hoofdstuk 26

'We maken een terugblikkrant over de bruiloft, een soort welkomstgeschenkje voor de bruiden wanneer ze terugkomen van de honeymoon,' zegt Wanda en wappert weer met haar indrukwekkende blocnote en de zilveren balpen.

'Het is ook een klein onderzoekje naar trouwen in deze tijd, een bruiloft volgens het boekje,' voegt Erica toe.

We zitten gedrieën naast elkaar op de bank bij de moeder van Thomas. Ik kijk nieuwsgierig rond in het grote huis met de keurige meubelen en de antieke kasten. Alles lijkt deftig en ook zeer geordend. Aan de muur hangt een groot schilderij van een woeste zee. Vast echte kunst en veel waard, schiet het door me heen. Op de schoorsteen ontdek ik een paar foto's van Thomas als kleine jongen, samen met zijn zusjes en twee honden staan ze lachend naast elkaar op een groot grasveld.

De zusters van Marte zitten tegenover ons naast elkaar op een kleinere bank. Ze glimlachen welwillend om onze verrassing en hebben toegestemd in een bezoekje met vraaggesprek.

'Het was niet bepaald een bruiloft volgens het boekje,' knikt de moeder van Thomas met een wat schampere lach, 'of jullie moeten een homoseksueel huwelijk als volledig normaal beschouwen.'

'Ik denk dat wij dat inderdaad doen,' knikt Wanda opgewekt.

Erica knijpt heel zachtjes in mijn dijbeen en ik kijk wijselijk de andere kant op om niet in lachen uit te barsten. Het hele interview is totaal overbodig, denk ik, ik weet alles al en straks moet ik mijn vriendinnen vertellen dat deze afspraak eigenlijk zinloos is. Maar hij was al gepland en afzeggen leek nog gekker.

Bovendien wilde ik eigenlijk wel naar deze plek, iets anders dreef me hier naartoe, naar het huis waar Thomas is opgegroeid. De kamers, de tuin, de honden, zijn zussen, zijn moeder. Een huis dat wegloopt uit zijn verhalen. Allerlei films flitsen aan mij voorbij, gebeurtenissen uit Thomas' leven die hij in de afgelopen dagen heeft verteld.

Ondertussen richten mijn ogen zich steeds weer naar het gezicht van Elwouds moeder. Ze heeft dezelfde wenkbrauwen, dezelfde ogen en de lange wimpers als haar zoon. Ze glimlacht naar mij en ik voel hoe ik bloos.

'Behalve homoseksueel dan, klopte alles wel volgens het boekje,' zegt Erica, 'trouwen in witte jurk, slapen in het ouderlijk huis van tevoren, alle familie aanwezig, een receptie, ringen, een bruidstaart, speeches, een champagnetoren, buffet dansant, fotoreportage, videofilm. Zelfs aan de arm van de vaders naar elkaar toegebracht.'

'Dat vond ik nou toch zo overdreven,' zegt de moeder van Thomas en steekt zelfs even haar tong uit, 'echt een vertoning, Marte is notabene vijfendertig jaar. Ze speelde gewoon dat ze achttien was. Echt bespottelijk.'

Even is het heel stil. De pen van Wanda krast een paar achterlijke poppetjes op het papier.

'Mijn vader vond dat nu juist heel erg fijn,' zeg ik stoer. Ik ontvang weer een glimlach van Elwouds moeder.

'Wat vonden jullie nou het allermooiste moment van de bruiloft?' Erica gaat onverstoorbaar door.

'Dat. zingen van mijn broer, de familie uit Australië,' zegt Elwouds moeder, 'dat heeft me diep ontroerd, het was net alsof ze de hele voorgeschiedenis weg zongen. We hebben namelijk nauwelijks contact met ze en we kenden die vrouw en die kinderen niet. Ik vond dat ongelooflijk ontroerend.'

'Meen je dat nou?' vraagt Thomas' moeder, 'ik vond dat nu juist bijna gênant. Wat een plaats je dan inneemt op het allerbelangrijkste moment na die bevestiging. Nee, ik vond dat het absoluut niet kon.'

'Wat vond u het allermooiste moment?'

'Het moment van de bruidskus na het afscheidslied dat ze

zongen aan het eind van het feest. Prachtig. Ik geloof echt dat ze stapelgek zijn op elkaar. En jouw tapdans, Branca. Ik vond jou en je broers ook magistraal. Wat een charmant drietal waren jullie.'

Ik knik opgewekt. Ik voel het moment weer in mijn benen. Ik voel hoe Thomas na die dans naar mij was toegekomen. Even hadden we buiten gestaan, samen, iets opzij van de strandtent. De lucht was nog wat aan het nagloeien van de zonsondergang. Thomas had zijn arm om mij heengeslagen en mij zonder enige voorzichtigheid naar zich toegetrokken en mij gezoend op mijn mond. 'Wat kan jij bewegen,' had hij gezegd, 'je bent zo spannend als je danst.'

Ik realiseer me opeens dat dat een moment was geworden waarop mijn leven veranderde.

'Waar ben jij gebleven,' hoor ik Wanda's stem. Ze kijken allemaal naar mij.

'Ik dacht even aan mijn broers, we hebben zo'n lol gehad met die voorbereiding van dat tapnummer,' lieg ik snel.

'Oh dacht je daaraan,' grinnikt Wanda.

'Wij hebben altijd moeite met Marte gehad,' vertelt Elwouds moeder, 'ze was de jongste, een echte nakomer, ze mocht alles wat wij nooit mochten. Ze had een enorm vrijgevochten opvoeding. We waren gewoon stikjaloers op haar, het leek wel alsof ze andere ouders had. Ze mocht in onze ogen dingen die voor ons allemaal streng verboden waren geweest. Bovendien durfde ze ook nog eens alles. Zij was degene die echt uitvloog en gewoon tijdenlang niets van zich liet horen. Heb jij dat nou ook, Branca, Carlyn en jij schelen toch ook een heleboel jaren?'

'Met mij is het andersom, ik was altijd jaloers op Carlyn, die deed juist gewoon alles wat ze wilde. Die was altijd ouder en beter, die had een vrijgevochten leventje terwijl ik alleen maar een kleintje was.'

'Hoe is het mogelijk,' zeggen de zussen tegelijk en staren mij verbaasd aan.

'Wat zouden jullie als zusters van de bruid, de bruiden toewensen?' vraagt Erica, 'dat is een standaardvraag in ons onderzoekje.'

'Kinderen,' zeggen ze allebei tegelijk.

'Marte is gek op kinderen, maar er was nooit een partner die daar geschikt voor was volgens haar eigen woorden. Wie weet misschien met Carlyn wel.'

Weer is er een vals knijpje van Erica in mijn been.

'Het is natuurlijk allemaal wel ingewikkelder met twee vrouwen, maar daar zullen ze niet voor terugschrikken,' zegt de moeder van Thomas.

'Ach,' knikt Erica neutraal, 'met mannen en vrouwen is het vaak ook ingewikkeld, ook niet alle kinderen worden bij die combinatie uit een geweldige vrijpartij geboren.'

Het klinkt dwaas en we schieten allemaal in de lach. Thomas' moeder schenkt thee in hele dunne kopjes. Ik ben bang om ze tussen mijn handen kapot te knijpen. Ik verlang opeens heel erg naar Thomas' kamer en het bed met de lappendeken.

'En jullie, willen jullie ook trouwen, ook zo'n soort bruiloft?' informeert de moeder van Elwoud.

'Nooit,' klinkt het uit drie monden tegelijk.

'Wel verliefd, wel een vriend?' De moeder van Thomas kijkt ons onderzoekend aan.

'Zij wel, wij momenteel niet, zoiets wisselt nog al,' knikt Wanda opgewekt naar mij. Ik voel mijn hoofd rood worden.

'Zij is echt over haar oren gesmoord in de liefde,' doet Erica er nog een schepje bovenop.

'Zo is het wel weer genoeg,' zeg ik bits.

'Ik zou bijna nieuwsgierig worden,' zegt de moeder van Thomas.

'We gaan nu naar de Bredeweg, naar de ouders van Branca,' zegt Erica snel.

Even later staan we buiten.

'Dat ging net goed,' zeg ik, 'zijn jullie nou helemaal gek.'
'Een beetje spanning is nooit weg, wat een takkenwijven. Gooise truttenbollen, eigenlijk zouden we naar die oma moeten gaan, die weet vast veel meer.'
'We hoeven nergens meer naartoe, alles is inmiddels duidelijk,' zeg ik.
'Wat?'
Ik sla het dossier 'De Bruiden van Branca' open en schrap demonstratief.
'Thomas heeft dus geen verhouding met Marte gehad, stomme roddel,' begin ik neutraal, 'Thomas heeft een rare act uitgehaald met dat filmrolletje, is jullie inmiddels bekend. Carlyn heeft ooit dus wel een vriendin gehad in een grijs verleden, en zij heeft onze tante Resel als vertrouweling daarin gehad, ook dat is inmiddels duidelijk.' Ik keek mijn vriendinnen even met een gewichtige blik aan, 'en ik weet nu zeker dat Marte een kind heeft op de wereld en dat het kind Josmijn Klosje heet. Ik weet nu ook zeker wie de vader is en hoe dat zit.'
'Nee,' klonk het op gewonden. 'Vertellen.'
Ik vertelde. Maar ik vertelde ook iets niet. Ik vertelde niet wat Elwoud mij had verteld.

We zijn op weg naar de Bredeweg.
'We kunnen die zogenaamde welkomstkrant gewoon in de sloot gooien, ons camouflagemiddel,' bromt Erica, 'het dient nergens meer toe.'
'Ik ben echt perplex,' zucht Wanda.
'Hoe moet de familie dit gaan verwerken?'
'Als de familie het verwerkt. Voor Marte maakt dat volgens mij niets uit. Maar Carlyn, als Carlyn het maar verwerkt.'
'Carlyn zal haar nette en ordelijke leventje gedag moeten zeggen. Ze zal haar geld over de wereld moeten blazen naar vluchtelingen en kinderen van vluchtelingen in plaats van het allemaal in dure kleren en auto's en huizen te steken,' zeg

ik opgewonden, 'ze zal nog eens spijt hebben om verliefd te worden op zo'n ander soort mens dan zijzelf is, die zus van mij. Ze zal nog eens op haar slimme digitale neusje kijken, mevrouw de adviseur. Ze zal nog eens zien dat er meer op de wereld is dan beleggingsadviezen, de vuile kapitalist. Misschien wordt zij door dit huwelijk wel een beter mens.'

'Waar ben jij in vredesnaam mee bezig? vraagt Wanda, 'gaat het een beetje?'

'Die bruiloft kneedt al mijn normale hersens uit mijn hoofd,' zeg ik opstandig, 'ik vrij met Thomas en ik vind het heel erg spannend en leuk. Maar ik verlang naar Elwoud en die vind ik nog spannender en ik ben ook bang voor hem geloof ik. Ik ben gewoon niet meer normaal en het komt allemaal door die bruiden.'

'En daarna word je op mij verliefd,' zegt Erica, 'trouwens ik ben zelf ook weer verliefd.'

'Op wie?'

We houden haar stil en proberen een naam te ontfutselen.

'Nu niet, vanavond als we naar de film zijn geweest. We richten ons nu op deze zaken.'

'We hebben het nooit meer over ons bbb-barbarendom.'

'Onze bbb's zijn gewoon helemaal in orde.'

'En in werking,' knikt Erica.

'Soms teveel in werking,' beaam ik.

Ik voel me heel erg op mijn gemak tussen mijn vriendinnen en onderdruk de neiging om hen te zeggen dat ze nooit uit mijn leven mogen weggaan. Zonder vriendinnen ben ik helemaal niets meer waard.

Hoofdstuk 27

'Echt, ik schaam me rot,' zegt Thomas.

We zitten in zijn kamer en delen een pizza waar we om beurten een stuk vanaf happen. Onze hoofden komen steeds dichter bij elkaar. Na elke hap geeft Thomas me zoen op mijn voorhoofd, op mijn wangen, op mijn mond.

'Ik schaam me echt helemaal hartstikke rot. Dat filmpje waar Marte op staat is meer dan drie jaar geleden gemaakt en ik, idioot die ik ben, wil er een familiedrama van maken terwijl zij het deed om mij te helpen. Denk je dat ik slecht ben?'

'Je bent minstens dramatisch.'

'Ik ben super dramatisch, het hele leven is dramatisch. In ieder geval draai ik het zo dat er altijd wel weer een of ander drama gaande is.'

Thomas staart even voor zich uit en dan valt de lach weer over zijn gezicht en is er een grote grijns om zijn mond.

'Ik heb het Elwoud trouwens gezegd, dat jij het zelf in scène had gezet. Dat geheim is uit de wereld. En wat die man zei over een kind, dat klopt ook.'

Ik vertel het verhaal aan Thomas terwijl we steeds dichter tegen elkaar aan zitten en Thomas heel zachtjes mijn oren zoent. Het kriebelt. En maakt me voor de zoveelste keer verlangend.

'Ik wil het niet weten,' zucht Thomas overdreven, 'Marte, onze uitdagende, niets ontziende Marte is echt grenzeloos net als ik. Elwoud zal ons stellig afkeuren, die staat natuurlijk aan de kant van de keurige ouders van hem.'

'Elwoud keurt helemaal niets af,' mijn stem klinkt krachtiger dan ik wil.

'Wat zei hij dan?'

'Hij vond het prima dat je het zo snel had bekend. En verder vond hij het treurig dat Marte denkt dat ze ongeveer alles voor de familie moet verzwijgen.'

'Dat is ook treurig, onze familie is nu eenmaal treurig, een hoopje opgeklommen centenlikkers die het alleen maar over bezit hebben en over status.'

Iets begint in mij te knagen. Een bekend zinnetje over Familie Troebel, zingt als een waarschuwende deun in mijn hoofd. Ondertussen eet Thomas de laatste hap van de pizza en kijkt mij vrolijk aan.

'In ieder geval, Branca, uitdagende zus van de bruid, wij leven in een vrij land. Wij zijn vrij, ook al voelen we ons niet altijd vrij. Leve de vrijheid. Ik wil me voorlopig door niets of niemand in welk keurslijf dan ook te laten vangen. Ik volg niet de weg die mijn ouders hebben gevolgd. Proost.'

'Proost,' zeg ik en ik weet opeens niet waarom ik helemaal geen zin heb om in het bed met de lappendeken en de blauwe lakens te belanden.

'Als jij eens wist hoe vaak mijn ouders hebben gevraagd of een vriendinnetje van mij een vast vriendinnetje was? Vast, vast, alsof vast het enig zaligmakende is. Ze zien gewoon een weg voor zich die ze zelf gegaan zijn en dat is de enige weg. Binden, verbinden, kinderen krijgen, geld verdienen, etcetera. Ik wil spelen, Branca, alle rollen van de wereld en ik wil publiek. Ik wil gezien worden en ook applaus. Verdomd veel applaus, na verdomd hard werken. Vriendinnetjes zijn voor mij dus niet vast. Ze zijn toegevoegde waarde aan mijn bestaan.'

Thomas zoent me uitdagend. Ik voel zijn schouders trillen. Ik voel zijn lange haren in mijn hals kriebelen. Ik voel de greep van zijn handen om mijn middel. Ik zoen terug en we happen allebei naar adem. Ik zoen nog een keer terwijl ik me heel langzaam aan het losmaken ben.

'Binden, verbinden, kinderen krijgen en zeker weer ontbinden,' fluister ik zijn oor. Mijn hart hamert harder dan ik wil en ik hoop dat hij het angstaanjagende ritme niet kan horen.

'Jij rijdt straks in je supervrachtwagen langs de weg en ik sta als Hamlet op het toneel,' fluistert Thomas terug. 'Mijn leraar regie zegt altijd: "je moet je dromen waarmaken. Je moet ze nooit in de lucht laten hangen maar ze proberen te realiseren.'"

'En de liefde?' vraag ik. 'Hoe zit dat dan?' Vraag ik dat echt? Het is de laatste vraag die ik had willen stellen maar de letters zijn gewoon mijn mond uitgegleden en de woorden zijn gewoon gevormd. Eigenlijk zonder mijn beslissing.

De armen van Thomas zwaaien met indrukwekkende bewegingen in de lucht, hij maakt een knieval voor mij en buigt zijn hoofd tot op de grond, dan volgt een indrukwekkende monoloog over de liefde. Zij stem galmt door de kamer, zijn ogen draaien heen en weer en zijn lichaam richt zich op en strekt zich voor mij uit.

'Neem mij, laten wij slurpen van dat wat liefde is. Laten we dit kostelijke moment van ons tweeën niet bederven door gedachten over straks en ook niet door gedachten over gisteren. Laten we de kunst verstaan om gewoon van elkaar te genieten, meer niet, minder niet. Kom.'

Voor ik doorheb wat er gebeurt, tilt hij mij op en draagt mij naar het bed met de blauwe lakens. Het zijn nog steeds onze lakens. Ik wil helemaal niet meer weg. Een vertrouwde geur bereikt mij en alle woorden die ik bedacht had, glijden gewoon uit mij weg. Ik zie alleen Thomas' gezicht en ik voel zijn lichaam. Even bestaat er geen morgen meer.

Ik fiets door de straten.

Te laat, altijd weer te laat. Het asfalt glimt door de regen. Ik slip bijna met mijn fiets in de tramrails maar houd nog net het stuur recht. Een eigenaardig soort eenzaamheid hangt als een jas om mij heen. Ik zou het aan iemand willen vragen: Klopt het, dat je na samenzijn nog eenzamer bent dan dat je gewoon alleen eenzaam bent? Ik zou niet weten aan wie ik dit zou kunnen vragen.

Thuis zal ik alleen maar op mijn kop krijgen. Ze zullen alleen maar zeuren over te laat zijn en dat vriendjes hebben leuk is, maar dat op deze manier vriendjes hebben helemaal niet door de beugel kan. 'Er zijn grenzen en in mijn huis gelden mijn regels,' ik hoor de stem van mijn vader al bulderen. Ik hoor de vergoelijkende opmerkingen van mijn moeder al. Ouders begrijpen eigenlijk bijna nooit wat je echt meemaakt, bedenk ik en die gedachte maakt me nog eenzamer.

Mijn vriendinnen zullen argwanend worden door deze vraag. Ze zullen al hun vragen op mij afvuren. Beter ten halve gekeerd dan ten hele verdwaald, hoor ik Wanda al zeggen. Denk niet dat je de eerste de beste keer wanneer je iemand ontmoet, dat die persoon dan voortaan alles met je delen zal. Utopie, utopie, Brancie, jong dom onnozel gansje. Ik wil hun onderzoekende blikken niet. Ik wil hun zogenaamde ervaringsopmerkingen niet.

Ik klem mijn fietsstuur steviger in mijn handen en vraag mij af wat ik in vredesnaam wel wil. Ik fiets mijn huis voorbij, er brandt geen licht meer. Misschien zijn ze gewoon in slaap gevallen. Ik fiets drie straten verder, de Middenweg over. Ik fiets langs nummer 234. Daar woont Elwoud. Dat had hij op de bruiloft verteld. 'Kom een keer wat drinken,' had hij vanmiddag weer gezegd. Hij had mij achterop zijn fiets weer teruggebracht naar het Vondelpark waar mijn fiets nog gewoon bij de speeltuin stond. We hadden daar zomaar even wat gestaan.

'Ik heb je een heel verhaal gedaan,' had hij gezegd. 'Je was een fantastische luisteraar en dat meisje met die houten poppenfamilie daar kunnen wij nooit meer om heen. Wedden dat die een plek gaat innemen en dat het daarom is dat wij hier zo staan. Bij die gekke speeltuin.'

Hij had opeens mijn hand gepakt en hij had mij de speeltuin ingetrokken. We hadden samen op de schommel gezeten, ik op zijn schoot, en we waren steeds hoger gegaan. Ik had zijn neus in mijn haren gevoeld en zijn adem in mijn hals. We schommelden heel langzaam uit. Toen stonden we weer bij de fietsen en hield hij de mijne vast terwijl ik de sloten losmaakte. Ik fietste van hem weg en nam mij voor niet om te kijken. Natuurlijk keek ik wel om. Elwoud stond er nog, precies zoals ik van hem was weggefietst. Hij keek in mijn richting. Hij zwaaide. Ik draaide snel mijn hoofd om.

Ook op de Middenweg nummer 234 zie ik geen licht branden. Even draal ik op de stoep. Ik speur bij de brievenbussen of ik zijn naam zie en als ik die zie, stap ik direct weer op de fiets. Ik rij weer terug naar de Bredeweg.

Ik vraag mij af waarom ik huil, wanneer ik de sleutel in het slot steek. Ik weet niet meer op dit moment om wie ik eigenlijk huil. Dan loop ik de trap op, ik ontwijk de zesde tree, de tree die geluid maakt. Vanuit de slaapkamer van mijn ouders komt geen stem die mij terugroept. Ik ga nog een trap op. Ik sluip mijn kamer binnen. Ik doe heel zachtjes de deur dicht, schop mijn schoenen uit en kruip zonder mij uit te kleden in mijn bed.

Het huilen lijkt niet meer te stoppen.

Hoofdstuk 28

'Yes I do, I do, Yes I do,' roep ik opgewekt als we de keuken binnenkomen aan de Bredeweg. Mijn moeder zit klaar met thee en een verse appeltaart. De keuken ruikt heerlijk en we schuiven allemaal aan om de grote tafel.

Ik zie hoe blij mijn moeder kijkt nu ze de gelegenheid krijgt om na te praten over de bruiloft en wij zelfs met een schrift wapperen en zeggen dat we dingen aan het opschrijven zijn over de bruiden, voor de bruiden.

'Was het niet fantastisch,' zegt mijn moeder, 'zo'n echt ouderwetse dag met alles erop en eraan. Ik heb er zo intens van genoten.'

'Wat vond u nou het allermooiste moment?' vraagt Wanda en slaat het schrift open.

Even is het stil in de keuken en kijken we alledrie naar mijn moeder.

'Toen Carlyn hier in deze keuken als een bruid stond aangekleed, en toen ik hoorde dat ze in haar eigen kamer in haar ouderlijk huis wou slapen de nacht ervoor,' klinkt het weloverwogen.

'In mijn kamer,' zeg ik.

'Nou ja het blijft natuurlijk ook altijd haar kamer.'

'Nee mijn kamer, het is nu helemaal mijn kamer,' zeg ik weer.

'Bek houden jij,' grinnikt Erica.

'Nou gewoon, dat gezicht van Carlyn, hoe ze stond te wachten hier en hoe ze naar haar vader en naar haar broers en zus keek. Ja, dat was voor mij echt het allermooiste moment.'

'En hoe ze naar jou keek, mam,' vul ik aan in een moment van diepe genegenheid voor mijn moeder. Opeens vind ik mijn moeder er oud uitzien en opeens realiseer ik me dat er ooit een moment zal zijn dat mijn moeder doodgaat en ik dan nog moet leven. Ik verdring die gedachte, voorlopig lijkt het absoluut niet haalbaar om dan verder te moeten.

Ik word nooit moeder, denk ik voor de zoveelste keer, zulke momenten kan ik gewoon nooit voelen zoals je dat als een moeder hoort te voelen.

We praten opeens allemaal door elkaar over allerlei taferelen van die dag.

'Ik vond uw speech zo mooi,' zegt Wanda, 'zo echt helemaal zoals wij het hier allemaal hebben meegemaakt op de Bredeweg, al zo lang. En trouwens Branca's vader zei ook zulke goeie dingen en dat hij ook bekende dat hij eerst zo'n moeite had met het feit dat ze met een vrouw trouwde. Ik vond het zo tof om dat te zeggen.'

'Het was gewoon echt volmaakt,' knikt mijn moeder intens tevreden, 'je wilt dat vasthouden zulke gebeurtenissen. Maar het leven snelt voort. Nog voor de bruiden terug zijn, staat de wereld alweer op zijn kop. Hebben jullie gehoord dat de tweeling een jaar naar Amerika gaat, dat ze iets heel anders gaan doen. Je vader is nog steeds woedend, Branca.'

'Ach ja,' zeg ik onverschillig, 'ook bij familie middelmaat loeien de stormen. Dit zal het laatste wel niet zijn. Papa draait heus wel bij. Als het plan lukt, vindt hij het weer prachtig.'

'En jij Branca, wat vond jij nou eigenlijk het allermooiste moment van de bruiloft?'

Mijn vriendinnen kijken naar mij. Hun gezichten zijn serieus en de pen staat fier in de aanslag.

Ik kijk even weg naar het raam waar een serie schapenwolken voorbijdrijven. Er zijn zo ontzettend veel momenten geweest. Ik voel weer hoe de tapdans mij helemaal in beslag nam en ik voor een paar minuten alles leek te durven wat ik nooit gedurfd had. Ik hoorde het overdonderende applaus van alle feestgangers weer over mij heengaan. Ik voel opnieuw die eerste overrompelende zoen van Thomas. Nog net op tijd realiseer ik dat ik alleen maar aan mezelf denk en helemaal niet aan Carlyn.

'Mmmm,' zeg ik aarzelend, 'afgezien van al die mooie en gekke beelden die er zijn, voor mij is het dit: We lagen in bed, in mijn kamer. In Carlyns vroegere kamer. Carlyn wilde dat ik bij haar sliep en we hadden een heel groot bed op de grond gemaakt en toen jij ons een nachtzoen kwam geven, mam, en wij jou nazwaaiden, daarna had ik nog een soort verassing voor Carlyn.

'Something old, something new,
something borrowed, something blue...
And a sixpence in your shoe...'

Ik zing na hoe ik het toen voor Carlyn had gezongen op dat gekke bed op de grond en ik vertel aan mijn moeder en aan mijn vriendinnen hoe Carlyn me toen had bekeken en gezegd had: 'En dat doe jij voor mij?'

Ik gaf haar een heel oud armbandje dat ik ooit toen ik dertien jaar werd van haar had gekregen. Ik zei: 'Je bent helemaal in het nieuw gekleed, daar hoort iets ouds bij, dit hele kleine armbandje mag weer bij jou zijn.' Ze deed het direct om en het paste zelfs. Ik gaf haar een kanten zakdoekje te leen dat ik ooit van mijn oma had gekregen. Dat was bestemd voor in het smetteloze bruidtasje. Ik had een hele mooie blauwe viool voor haar gedroogd en die mocht mee in haar bh. En ik gaf een van mijn bewaarde geluksmuntjes voor in haar schoen. Het was echt een heel mooi moment samen. Ze zoende me heel lief en ze beloofde dat ze het allemaal precies zo zou gebruiken de volgende dag. Daarna hebben we heel lang zonder iets te zeggen hand in hand in het bed gelegen.

'Zusjes, ja op dat moment waren we echt zusjes.'

'Ik krijg er tranen van in mijn ogen,' zegt mijn moeder.

'Ik ook,' zegt Wanda.

'En ik dan,' knikt Erica.

'Daar gaan we weer,' roep ik uit, 'is er ook een bruidstranenlikeur voor na de bruiloft, mam?'

Dan stormt mijn vader de keuken binnen en zijn gezicht straalt. 'Kijk eens wat ik heb,' hij zwaait met wat papieren.

'De kopieën van de tickets, het reisschema van de huwelijksreis, en voor ons het belangrijkste: het tijdstip waarop ze terugvliegen. Ze komen helemaal uit Rio de Janeiro terugvliegen. Die malle meiden zijn de halve wereld over gereisd in de afgelopen maand.'

'Rio de Janeiro, Rio de Janeiro,' zingen Wanda, Erica en ik ogenblikkelijk.

'Hoe kom je daar in vredesnaam aan, Pim?'

'Allemaal in mijn computer gevonden, opeens zag ik een mapje 'huwelijk' waar dat allemaal instond, volgens mij hebben ze vergeten dat te wissen. Ik had het nog helemaal niet gezien. Ik wist trouwens ook niet dat Carlyn hier op de computer bezig is geweest.'

'Rio, de halve wereld over,' zegt mijn moeder, 'maar dat mogen wij dus eigenlijk helemaal niet weten, Pim. Ze wilden dat toch juist niet zeggen.'

'Nee, moeten ze maar niet zo stom zijn,' lacht mijn vader opgewekt. 'We gaan ze dus afhalen, is dat niet geweldig? We gaan allemaal naar Schiphol, de hele familie. Ik heb de ouders van Marte en ook die zussen al gebeld. ze willen allemaal mee. Jullie gaan toch ook mee, meiden. Ha, ha, die bruiden, wij komen overal achter. Dus staan wij er, allemaal.'

'Ik vind eigenlijk dat het niet kan. Nee Pim, dat kunnen we niet doen.'

'Niet doen? Natuurlijk doen we dat. Trouwens die familie van Marte gaat absoluut naar Schiphol. En denk jij dan dat wij dan niet gaan? Natuurlijk gaan wij. Ze vinden het prachtig, dat zal je zien.'

'Het kan helemaal niet, maar we doen het gewoon,' zeg ik en weer verlang ik naar Carlyns gezicht. 'We doen gewoon wat eigenlijk niet kan, doen zij ook steeds.'

'En wij gaan mee,' zeggen mijn vriendinnen.

Wanda klapt het schrift dicht met 'De Bruiden van Branca' erop en geeft mij een vette knipoog.

Sommige kinderen hebben een familie
van houten poppetjes en verlangen naar een land
dat ze nooit hebben gezien

In elke familie huizen duistere geheimen
zelfs bij familie middelmaat
wie doorbreekt welke wetten

Deze droppings plak ik voorlopig in mijn eigen agenda.
Ze zijn bedoeld voor de bruiden. Maar ik weet op dit
moment niet waar ik ze achter moet laten.

Hoofdstuk 29

Ik ben de incarnatie
van mijn grootmoeders
erwtensoep

Deze dropping had ik achtergelaten op de keukentafel, op de schuurdeur, op de reclamezuil vlak bij ons huis, op een boom aan het begin van de Bredeweg. Ik was op weg naar Kirsten, mijn kunstoma. Bij de eerste ontmoeting met Kirsten had ik met smaak van haar erwtensoep gegeten, terwijl ik niet van erwtensoep hield. Daarna was haar invloed in mij gesijpeld. Ooit wil ik zo zijn als Kirsten. Onafhankelijk, geestig, nergens bang voor en vrij.

Op de een of andere manier leek mij haar vrijheid een andere vrijheid dan die van Thomas. Of had ik gewoon nog nooit over vrijheid nagedacht? Misschien ging het voor mij niet verder dan het aanlokkelijke gevoel niet meer naar school te hoeven. Of niet meer door mijn ouders bevoogd te worden. Ik wist het niet meer. Na de bruiloft stond mijn leven achterstevoren in beeld. Ik wilde alleen maar bij Kirsten op de bank zitten, mijn schoenen uit, mijn benen omhoog, mijn voeten onder de plaid die er altijd lag. Haar twee poezen lagen ook op de bank.

'Dat duurde lang,' zei Kirsten toen ik haar kamer binnenkwam 'ik had je al veel eerder verwacht.'

Ze had haar haren rood geverfd en droeg tierlantijnen oorbellen met rode stenen erin.

'En hoe vind je de verjongingskuur van je oma?'

'Beetje te,' zei ik en schoot in de lach toen ik haar teleurgestelde gezicht zag.

'Ik dacht even dat ik prachtig was,' zei ze met een gek lachje.

'Ben je ook, maar het is even heel anders en ik heb het

gevoel dat alles anders is. Jij moet hetzelfde blijven, dat is mijn houvast. Ik weet gewoon niet meer wat nu eigenlijk wat is.'

'Wat wil je weten?'

'Vrijheid, wat is vrijheid bijvoorbeeld?'

Er was een pot thee, er waren koekjes, de katten lagen dwars over mij heen en ergens tikte een klok. De zon scheen zwakjes door het raam en Kirsten keek mij vol belangstelling aan. Even leek het allemaal helemaal in orde.

'Vrijheid is een begrip waar je je hele leven mee worstelt en waar je als je zo oud ben als ik nu ben, misschien iets meer van verstaat,' zei ze, 'wat zit je in je hoofd uit te spoken Branca, gekke meid van mij. Is er wat aan de hand?'

'Misschien,' zei ik, 'maar misschien ook niet. Ik ben nog geen zeventien.'

'En dan al zo'n rimpel in je voorhoofd trekken. Lieverd, geniet zonder te veel vragen aan jezelf te stellen of mogelijk aan anderen. Die vragen komen vanzelf wel. En beter nog, de antwoorden ook.'

'Ik wil je over Elwoud vertellen,' zei ik.

Ze haalde haar wenkbrauwen op en lachte mij hard en langdurig uit. 'Ik dacht dat we het over Thomas hadden. De vorige keer is de naam Thomas minstens honderd keer gevallen. En dat is nog geen twee weken geleden.'

'Nu gaat het over Elwoud,' zei ik stoer, 'het leven houdt bij Thomas niet op.'

'Aha, nee, daar zal je stellig gelijk in hebben. Maar Elwoud, wie is in vredesnaam Elwoud. Wat een naam, het lijkt wel een of andere ridder uit een film.'

'Elwoud is een andere neef, zoon van een andere zus van Marte,' zei ik.

'Oké, neef twee. Steek van wal.'

Ik voelde hoe een aangename warme gloed vanuit mijn hals mijn wangen bereikte. 'Ik word helemaal gek van die bruiloft,' zei ik en vertelde het verhaal van Josmijn Klosje.

Kirsten luisterde zonder mij te onderbeken. Ze rookte met elegante bewegingen een klein sigaartje en ik bedacht dat er niemand in mijn omgeving was die dat deed.

'Die durft, die Marte,' zei ze toen ik even stilviel, 'en nu over Elwoud, want dit ging volgens mij over Marte.'

'Na die ontmoeting met Josmijn Klosje en haar vader, zag ik Elwoud. Hij vertelde over de familie, hij zei dat het heel erg vond dat er zoveel geheimen waren. En toen begon hij opeens over Carlyn. Hij zei dat Carlyn zijn tante Marte eerst helemaal niet zag zitten. Carlyn vond haar te wild, te gek, te overdonderend en ze beweerde niets met vrouwen te hebben, maar wel met mannen. Hij geloofde dat ze ook nog een vaste vriend had. Marte was altijd een voorbeeld geweest voor Elwoud, vooral in de tijd dat hij begon met studeren in Amsterdam. Hij was de oudste van de neven en nichten en begon daar dus het eerste mee. Elwoud studeert archeologie en Marte was en is nog steeds journalist. En allebei spelen ze cello en ze hebben heel veel samen gespeeld, dit allemaal volgens Elwoud.

Carlyn, mijn lieve knappe blitse zuster wou die Marte helemaal niet. Ze heeft haar drie keer de bons gegeven. Maar Marte was als een stuiterbal, ze kwam gewoon weer terug. Ze kon mijn zus niet vergeten, niet uit haar kop krijgen. Ze was bijna waanzinnig verliefd, het leek een soort obsessie. Marte, de grote uitdager en vrijgevochten furie van de familie werd volgens Elwouds verhaal een wanhopig verliefd en verloren mens. En vanuit die wanhoop riep ze Elwoud aan, de rustige bedaarde oudste neef. Hij werd haar vertrouweling en ze ging zo ver dat ze hem vroeg met Carlyn te willen praten.'

'Zo, zo,' zuchtte Kirsten, 'het lijkt wel een soap, een heuse. Jullie kunnen zo op de televisie. En dat deed hij, die Elwoud?'

'Hij adviseerde Marte om een celloavond geven, een klein huisconcert. "Je nodigt Carlyn ook uit en dan zal ik haar in ieder geval ontmoeten en spelen we een speciaal stuk dat jij haar wilt laten horen." Marte zei dat ze dat niet durfde. Ze had nog nooit gespeeld voor Carlyn. Elwoud beweerde dat mogelijk daar de fout lag, de cello is namelijk heel belangrijk voor haar.'

'Zeggen al die cellospelers,' knikte Kirsten en inhaleerde van haar sigaartje.

'Carlyn is een heilige kat, een sfinx met schuine ogen en radar van verfijnde hersenen, gratievol, speels behaaglijk en altijd op haar hoede. Carlyn is de hele wereld te slim af en dat is zo waanzinnig aantrekkelijk. Alles wordt daar levendig van, dat beweerde Marte. Over mijn zus. Volgens Elwoud. Ik weet nu wel dat verliefde mensen hele eigenaardige dingen zeggen en hele vreemde details belangrijk vinden.'

Kirsten knikte. Ze schonk nieuwe thee in.

'Die muziekavond kwam er dus. En Marte had zich ongelooflijk goed voorbereid, vertelde Elwoud. Hij trouwens ook. Het was een klein publiek dat in Marte's huis kwam luisteren. En ze speelden zo mooi dat de spanning te snijden was. Marte had de muziek aan Carlyn opgedragen. Carlyn was zeer ontroerd. Carlyn blijkt die avond heel veel verteld te hebben over haar eigen leven. Vooral over haar werkleven en over het verlangen naar muziek, iets waar ze zich niet in ontwikkeld had. Voor Carlyn bestaat de wereld uit cijfers en letters, aan klanken is ze nooit toegekomen. Die twee cello's hebben haar letterlijk overmeesterd. Alle bezwaren leken weggevallen te zijn. De sfinx was ontdooid en Elwoud heeft nog in alle toonaarden bezongen hoe gegrepen Marte was geraakt door haar liefde voor Carlyn, zodat hij het zelfs kon horen aan haar manier van spelen. Hij vertelde natuurlijk niets over het feit dat hij wist dat Carlyn voortdurend nee zei tegen Marte. Mijn zuster smolt alsnog, de verovering werd opnieuw ingezet en leidde dus binnen een half jaar tot een bruiloft.'

'Happy happy end dus, toch?' zei Kirsten met een zucht, 'in

de hoop dat Carlyn niet verliefd geworden is op die cello maar op die Marte.'

Even was het stil in de kamer en luisterden wij allebei naar het luide spinnen van de katten.

'Elwoud maakt zich zorgen,' zei ik enigszins bedrukt. 'Hij beweert dat Marte aan een soort overmeestering heeft gewerkt. Het is haar uiteindelijk gelukt Carlyn te vangen, maar direct moest alles bevestigd worden en dat is eigenlijk niets voor Carlyn, maar ook niets voor Marte. Toen Elwoud hoorde over Josmijn Klosje, was hij echt geschokt en hij is dat nog steeds. Hij denkt dat Carlyn dat niet trekt, dat ze zich volledig door Marte bedrogen voelt en dat het slecht gaat aflopen met die bruiden. Hij vindt het vreselijk. Hij is dol op Marte, maar inmiddels ook op Carlyn, begreep ik. Elwoud was de grote steun en toeverlaat bij het organiseren van die bruiloft, dus ook ceremoniemeester.'

'Dus toch een soort ridder,' zucht Kirsten.

'Wat denk jij hier allemaal van?' vraag ik.

'Als ik jou goed gehoord heb over die zuster van jou, zou ik mij geen zorgen maken. Die doet heus niet iets wat zij niet wil.'

'En als jij zou horen dat jouw man een kind had en dat niet had verteld? Wat zou jij dan doen?'

'Onmogelijke vraag, lieve Branca. Ik weet het niet, elke situatie is toch anders. Maar die Elwoud? Wat heb jij met die Elwoud?'

'Niets,' zei ik.

'Dat lijkt mij nou heel weinig,' mompelde Kirsten bedachtzaam en vroeg niet verder.

Hoofdstuk 30

Het einde van de bruiloft naderde.
Zelfs tante Resel leek uitgedanst en zat met rode wangen op een stoel en vroeg om nog zo'n heerlijk rood portje. Mijn moeder wiste het zweet van haar voorhoofd en gaf haar zuster een knipoog. Even later zag ik hen samen dansend praten en met vrolijke gezichten.
De laatste dans werd ingezet. We vormden een kring om de bruiden heen die steeds inniger dansten. Ik staarde naar de knoopjes op de rug van een van de jurken. Hoe meer de avond vorderde, hoe meer aaneengesmeed de bruiden werden. Ik zag de ogen van mijn vriendinnen dit tafereel nauwkeurig gadeslaan. Familie Krullebollie danste dicht naast elkaar en keek met verheugde gezichten naar de bruiden. De zusters van Marte voegden zich bij hen en verstrengelden zich met hun echtgenoten.
De moeder van Marte zat naast mijn vader, ze waren een groot deel van de avond met elkaar in gesprek en het leek steeds heftiger te worden aan de gebaren van mijn vader te zien. Marte wenkte hen op de dansvloer en een speciaal gevraagd slotnummer werd door de band met veel vertoon ingezet.
Op dat moment, net toen ik van buiten teruggekomen was van de eerste echte zoen met Thomas, vlak achter het strandpaviljoen, kwam Elwoud op mij af. Hij stond plotseling achter mij, legde zijn handen op mijn schouders en zei met een dringende stem: 'En deze laatste dans is voor mij Branca.'
Hij pakte me stevig beet en we gingen samen swingend om de kring heen. Ik merkte nog net hoe Wanda Erica aanstootte en ze me beiden met een ingehouden lach bleven volgen. Dat duurde niet lang want mijn broers gingen samen op mijn vriendinnen af en even later vormden wij met deze drie

paren de buitenkring. Om de drie paren heen danste Thomas, alleen. Hij deed het uitgelaten met veel gekke bewegingen en probeerde voortdurend mijn blik te vangen. Een grote grijns gleed over zijn gezicht toen onze ogen elkaar ontmoetten.

Maar Elwoud draaide mij van hem weg een andere kant op, eerst buiten de kring, toen in de kring. 'Wat denk je,' fluisterde hij zacht in mijn oor, 'gaat dit een lang en gelukkig huwelijk worden?'

Ik keek naar de bruiden die nu vlakbij waren, ik zag hoe Carlyns hand voortdurend die van Marte streelde in een liefkozend ritme. Ik merkte hoe de ijlblauwe ogen van mijn zus op niets anders meer gericht waren dan op het gezicht van Marte.

'Ik heb het absolute geloof hierin,' zei ik zacht, 'als dit niks wordt dan denk ik dat ik al mijn vertrouwen in de liefde zal verliezen.'

'Goed, goed, dan bouw ik mijn hoop op jouw mening,' fluisterde Elwoud.

Hij danste goed, soepel en trefzeker en ik voelde me als een wassen pop in zijn armen, kneedbaar in alle richtingen.

'Je hebt niets en alles van je zus, maar alleen jij hebt die geraffineerd lange benen,' zei Elwoud nog, 'zullen we een keer napraten over de bruiloft? Ik heb een kamer niet ver van jullie huis, Middenweg 234. Kom een keer koffie drinken.'

Ik was echt kneedbaar. Ik had diezelfde belofte drie minuten daarvoor aan Thomas gedaan.

'Graag,' zei ik neutraal en voelde een akelig blozen vanuit mijn borst naar mijn hals gaan.

De muziek zweeg. De bandleden keken met veel betekenende blikken naar het bruidspaar. Carlyn nam nu de leiding en sprak ons toe. Haar stem was een klein beetje hees, ze sprak met een natuurlijke vaardigheid die wij allemaal misten. Je bent echt het paradepaard van ons gezin, flitste het door mij heen en het verbaasde me dat er geen glimp van jaloersheid in mij was. Tot mijn schrik richtte ze zich opeens heel persoonlijk naar Elwoud, die zijn arm om mij heen geslagen hield alsof dat heel vanzelfsprekend was.

'Als iemand een brug voor onze liefde heeft weten te slaan ben jij dat wel,' zei ze en haar ogen schoten vol zichtbare tranen. 'Hoe kan ik je daar ooit voor bedanken, Elwoud? Je bent altijd welkom in ons huis zoals je altijd welkom was in het huis van Marte. En eens hoop ik op jouw bruiloft te mogen zijn.'

Elwouds hand gaf een fijn kneepje in mijn schouder.

'Waar slaat dit op?' vroeg ik nieuwsgierig.

'Later vertel ik je dat nog eens,' fluisterde hij terug.

Op dat moment kwam Thomas aan de andere kant naast ons staan en sloeg ook een arm om mijn schouders. 'Zo ingebouwd in een nieuwe familie,' zei hij en bekeek ons onderzoekend.

Ik zag ook mijn tweelingbroers naar mij kijken. Heb je hulp nodig, seinden hun ogen eensgezind. Ik knikte hen onmerkbaar geruststellend toe.

Toen sprak Marte.

Ze zei dat er nog een verrassing restte. Dat was het lied. Een lied van de bruiden voor de bruiloftsgasten, als dank en als een ode aan de liefde. 'Wij zingen het tweestemmig en Carlyn zingt voor het eerst in het openbaar,' vertelde ze met een glanzend gezicht.

Ik zag hoe mijn moeder dichter naast mijn vader ging staan en haar arm door de zijne schoof. Ik zag hoe zijn hand zich over haar hand heen legde en dat ze aaneengesmeed en met veel toewijding naar hun dochter keken. Ze leken allebei heel kwetsbaar zoals ze daar stonden.

Toen zongen de bruiden, dicht naast elkaar. Ik had Carlyn nog nooit zo horen zingen.

'Marte zingt heel vaak, ze heeft Carlyn kennelijk uitgedaagd,' fluisterde Elwoud.

'Dit is niet te geloven,' zei ik zacht. 'Een metamorfose.'

Even was het bijna beangstigend stil toen ze waren uitgezongen. Toen brak er een opgetogen applaus los. Iedereen zoende iedereen. We liepen allemaal mee naar de auto van de bruiden, die weer door mijn broers werd bestuurd. Ze wisselden van petten en van brillen en schoven naast elkaar op de voorbank. De raampjes zoefden open en de bruiden gooiden met een zwierig gebaar hun bruidsboeketten de lucht in. Wanda ving er een in rose en een zusje van Thomas een boeket in zacht geel.

Er ging een luid gejoel op. 'Tot over een maand, good luck, tot over heel gauw...'

We keken hen na en zagen hoe de versierde auto de oprit bij het strandpaviljoen afreed en over de boulevarddijk verdween. Opeens leek alles leeg. En zocht iedereen zich een weg met tassen en jassen. De cadeaus van de bruiden werden verzameld en zouden later door de tweeling naar hun huis worden gebracht. Niemand wist waarheen de bruiden morgen zouden afreizen.

Waarschijnlijk was het op dat moment dat Thomas besloot om zijn eigen filmrolletje toch zogenaamd te vinden. Hij bleef met mijn broers die weer zouden terugkomen naar het strandpaviljoen en met Elwoud achter om te helpen met opruimen.

Ondertussen ging ik met mijn ouders mee naar de Bredeweg. De volgende middag belde Thomas om zijn vondst te melden.

Hoofdstuk 31

Ze zijn allebei door hun ouders ingelicht over de komende gebeurtenissen en peilen mijn mening. Ze maken mij allebei in de war, terwijl ik me net had voorgenomen dat ik dat niet meer wil laten gebeuren.

Ze bellen weer vlak achter elkaar, de neven.

Ook mijn broers bellen. 'Heb je het gehoord van papa over dat reisschema dat hij gevonden heeft? En over dat achterlijke plan om met z'n allen naar Schiphol te gaan? Hoe krijgen ze het in hun hoofd. Wij gaan dus niet. Moet je je eens voorstellen hoe vreselijk het is dat daar zo'n hele familie staat. Je zou subiet weer terugvliegen. Het mag gewoon niet, kan jij het ze niet uit hun hoofd praten, Branca. Ik weet honderd procent zeker dat Carlyn uit haar vel springt.' Wart klinkt echt bewogen. Op de achtergrond hoor ik Jacob instemmend mee brommen.

'Ik kan niets tegenhouden, ze zijn allemaal enthousiast. Ze denken gewoon aan zichzelf, zij verheugen zich. Ze vinden het een reuze mop.'

'Dat is het nu juist, bij zoiets denk je niet aan jezelf.'

'Zij allemaal wel.'

'En jij dan? Je wilt toch niet zeggen dat jij ook gaat?'

'Ze hebben iedereen uitgenodigd, mijn vriendinnen, ook de vriendinnen van Carlyn. Het is een post-bruiloftdelegatie. Ik weet nog niet of ik ga.'

'Als jij het niet weet, dan weet ik dat je zeker gaat,' zegt Wart. 'Dat je ook gewoon aan jezelf denkt en dat je nieuwsgierig bent,' roept Jacob, 'laat die bruiden toch lekker samen thuiskomen.'

'Als ik zeg dat ik het nog niet weet, dan is dat zo, zijn jullie nou besodemieterd. Misschien ben ik wel met hele andere dingen bezig, net zoals jullie. Die bruiloft is toevallig nu wel gewoon voorbij.'

Ik voel opeens hoeveel er is gebeurd met mij waar mijn broers nog niets van weten. 'Als jullie er dus niet zijn, dan wil ik jullie wel gauw zien,' zeg ik opeens verlangend.
'Voor jou staat de deur altijd open,' zeggen ze met overtuiging, 'ook in Amerika.'

'Ze gaan als een kudde schapen naar Schiphol,' hoor ik Thomas aan de lijn. 'Om te huilen voor de bruiden, maar ik ga dit super familiedrama wel aanschouwen,' zijn stem klinkt opgewonden.
'Je komt toch ook?'
'Misschien.'
'Waarom misschien?'
'Omdat ik nog niet zeker weet of ik daar wel wil staan. Volgens mijn broers, en ik denk dat ze gelijk hebben, stellen ze het absoluut niet op prijs om afgehaald te worden.'
'Reden te meer. Natuurlijk ga je mee. Zullen we samen gaan? Zullen we tegelijk tegen de familie zeggen dat wij samen een avontuur zijn begonnen? Dat leidt de aandacht van de bruiden weer wat af.'
'Wij zeggen helemaal niets tegen de familie,' mijn stem klinkt bijna dreigend.
'Wat bedoel je? Je klinkt bijzonder fel.'
'We zeggen niets, omdat ik nog niet weet aan welk avontuur ik echt begonnen ben,' zeg ik met nadruk op welk. Mijn stem klinkt zonder aarzeling en ik voel dat ik rechter ga staan.
Het is even heel stil aan de andere kant van de lijn.
'Heb ik iets verkeerds gezegd, of heb ik weer stom gedaan?' zijn stem klinkt zwakker.
'Ik heb het over mijzelf,' zeg ik. 'En mogelijk over mijn vrijheid.'
'Aha, dat kan natuurlijk. Nou ik hoop je te zien. Ik ben morgen in ieder geval op Schiphol.'

Ik staar lang voor de spiegel naar mijn eigen gezicht. Het is een nazomergezicht met wat verdwaalde sproeten, waar het bruin langzaam uit verdwijnt. Morgen komt mijn zus terug. Over een maand gaan mijn broers weg. Over twee jaar heb ik mijn eindexamen in mijn zak en ben ik mogelijk bezig met rijles. En met wie ben ik dan bezig? En waarmee? En waartoe? Thomas? Elwoud? Niemand? Iemand?

Het lijkt wel een wijsje dat in mijn hoofd drenst. Ik sper mijn ogen heel wijd open en ik vind zoals ik dat altijd vind, dat er vreemde kringen om mijn pupillen zijn en dat er een begin van een vouw vanaf mijn oog naar een mondhoek loopt. De aanslag begint dus al na je vijftiende jaar, het geeft iets huiveringwekkends, alsof vanaf nu alles alleen maar minder zal worden. Ik loop naar de kast waar ik mijn regenboogjurk van de bruiloft uit tevoorschijn haal. Ik trek hem aan en kijk dan weer heel lang naar mijn eigen spiegelbeeld. Deze jurk is het symbool van een grote verandering in mijn leven, stel ik vast, en ik kijk naar mijn benen, naar mijn voeten. Ik kijk heel lang naar mijn buik, mijn borsten en vervolgens half gedraaid naar mijn billen. Ik zal die jurk altijd bewaren.

'Sentimentele dweil,' zeg ik tegen mijn eigen spiegelbeeld, 'verbeeld jij je echt dat je op een vrachtauto langs de weg zal gaan? Je krijgt het al benauwd als iemand tegen je zegt dat hij vrij wil zijn. Ik wil ook vrij zijn. Ik toevallig, ik wil het niet aangezegd krijgen. Ik bepaal het zelf.'

Dan belt Elwoud. Zijn stem die meestal rustig is, klinkt nu gejaagd. 'Ga jij ook naar Schiphol? Van mijn familie gaan ze allemaal. Eigenlijk ben ik tegen.'

'Eigenlijk ben ik ook tegen,' zeg ik, 'ik aarzel.'

Het is even stil tussen ons. Het lijkt wel alsof we er allebei tegenop zien om de bruiden weer terug te zien.

'Zullen we anders samen wat drinken vanavond?'

'Nee,' zeg ik en ik schrik van mijn eigen geluid, 'ik kan niet, ik bedoel...'

'Weet je dat ik mij echt opnieuw ongerust maak over het verloop.'

'Het is niet onze zaak.'

'Nee het is niet onze zaak, het lijkt onze zaak. Wanneer ze terug zijn, is dat ook weer voorbij. Jammer dat je niet kunt. Andere keer, onthoud de cello, ik wil heel graag een keer iets laten horen.'

'Ik kom een keer.'

'Goed, ik weet opeens dat ik meega naar Schiphol, Branca, ik wil erbij zijn.'

'Ik ook,' zeg ik, 'ik wil er ook bij zijn.'

Als Elwoud ophangt, voel ik mij verlaten door hem, door mezelf en door de hele wereld.

Het gaat pas over als ik de geur van verse appeltaart ruik en daarvoor de trappen afren naar de keuken. 'Schuif aan,' zegt mijn moeder vrolijk. 'Jij komt absoluut op de geur af, een huis moet altijd lekker ruiken, onthoud dat Branca. Geuren zijn belangrijk. Ik ben de geur van mijn ouderlijk huis nooit vergeten Wist je trouwens dat als mensen hun huis willen verkopen, dat ze dan vaak iets bakken voordat er kijkers komen, dat werkt goed voor de verkoop. Zo'n geur van versgebakken brood of taart maakt een huis aantrekkelijker. Het is een Engelse gewoonte, ik kan me goed voorstellen dat zoiets echt helpt.' Mijn moedert zet de appeltaart dampend en wel op de keukentafel en hanteert met kwistige hand de kaneelstrooier. 'Morgen komen de bruiden thuis, Brancie, ik ben zo benieuwd.'

'Ik minder,' zeg ik.

'Wat zeg jij nou?'

'Niks onzin, ik zeg graag onzin.'

'Soms begrijp ik niets van jou. Soms begrijp ik niemand van mijn eigen kinderen. Dat is toch zo wonderlijk,' mijn moeder kijkt peinzend van mij weg alsof ik opeens een vreemdeling ben geworden.

'Hoe was jouw trouwdag eigenlijk?' vraag ik.

Mijn moeder gaat ervoor zitten en ik weet dat ik die avond veilig ben opgeborgen in haar verhalen.

Hoofdstuk 32

We staan inderdaad als een kudde schapen op Schiphol.
Veel te vroeg. De vlucht van de bruiden gaat vanuit Rio de Janeiro via Madrid naar Amsterdam. Dus kijkt mijn vader voor de zoveelste keer op de schermen en leest de tijd van aankomst af.
'Het klopt, het klopt echt,' zegt hij zwaaiend met zijn uitgedraaide computerpapieren. 'Is dit niet fantastisch mensen, een verrassing mag je dit wel noemen. Kijk eens met hoe velen we zijn.' Zijn hoofd loopt rood aan van opwinding.
'Nou moeten ze ook nog echt in dat vliegtuig zitten, er kan natuurlijk ook wel eens iets veranderen op zo'n grote reis,' zucht mijn moeder, 'stel je voor dat ze er niet in zitten.'
'Tickets zijn tickets,' zegt mijn vader, 'en anders hebben we pech, dan zijn zij weer aan de beurt om ons uit te lachen.'
De halve bruiloftstoet is aanwezig, allemaal opgetrommeld door de vrolijke vondst in mijn vaders computer. Vervolgens zijn enthousiasme door de telefoon, soms is mijn vader onweerstaanbaar.
'Misschien sluipen ze wel langs een andere weg naar buiten wanneer ze ons zien,' zegt Wanda snierend. 'Ik wil niet dat jullie dit ooit bij mij doen.'
'Jij trouwt toch niet. Maar zonder gekheid, ik heb een heel raar voorgevoel,' fluistert Erica.
Ik sta tussen mijn vriendinnen in en zie in de verte Elwoud en Thomas aankomen.
'Ik geloof niet dat ik hier eigenlijk wil zijn,' zeg ik zacht, 'het is langzamerhand te veel, daar heb je zelfs tante Resel.'
'Ik moet hier ook bij zijn kind,' hoor ik haar stem, 'dit is te gek voor woorden, wat een geweldig idee van je vader. Zoiets als samen uit, samen thuis. Hoe zouden ze eruitzien? Ik heb van alle reizen die Carlyn maakte altijd nog een mooie ansichtkaart gekregen, maar nu niet.'

'Dat hoort zo op een huwelijksreis, ze hebben wel iets anders om over na te denken,' knikt mijn moeder en ik verdenk haar ervan dat ze tante Resel was aangevlogen wanneer die wel een kaart had ontvangen.

Ik zie de moeder van Marte terug, haar zusters en hun mannen. Er zijn een paar vriendinnen en vrienden van beide bruiden.

'Is die welkomstkrant al klaar?' vraagt de moeder van Elwoud.

'Helemaal in orde,' liegt Wanda vrolijk, 'die vinden ze bij thuiskomst op de deurmat.'

De neven zijn nu vlakbij. Ze lijken in een geanimeerd gesprek en het valt me op dat ze precies even lang zijn. Ze begroeten me allebei heel hartelijk en niet overdreven zodat ik weer wat vrijer kan ademhalen. Ik zie mijn moeders wenkbrauwen omhoog kruipen, maar ze gaat niet tot vragen over. Ze schudt Thomas hartelijk de hand en laat zich door Elwoud zoenen alsof hij een eigen zoon van haar is.

'We hebben nog een half uur te gaan en te staan, laten we even koffie gaan drinken,' zegt Elwoud. Hij lijkt zijn rol van ceremoniemeester gewoon weer op zich te nemen. Hij knipoogt naar mij, steekt een arm door die van zijn moeder en loopt naar de dichtstbijzijnde koffietent. We strijken als een rumoerige troep ganzen neer en praten allemaal door elkaar.

'Je bent een stuk,' fluistert Thomas in mijn oor, 'oh, wat ben jij toch een stuk. Weet jij wel hoe ontzettend ik naar jou verlang. Drie dagen heb ik je niet gezien, drie hele dagen. Dat kan gewoon niet.' Hij staat even zeer gevaarlijk dicht achter mij. Ik voel de aantrekking van zijn lichaam op mijn eigen lichaam plaatsvinden. En het wassen pop gevoel laait weer in mij op. Een broeierige en verlangende onrust neemt bezit van mij. Nog een paar woorden en ik ben weer volledig in zijn ban en kneedbaar in alle houdingen die hij zal verzinnen. Ik drink gulzig van mijn koffie en fluister dan in zijn oor dat ik ook verlang. Dat ik van alles verlang.

'Het leven is absoluut super spannend,' voeg ik eraan toe en ik weet niet waarom ik deze raadselachtige opmerking uitspreek.

'Voorlopig ben jij het spannendst,' zegt Thomas en legt even een hand in mijn hals.

Elwoud komt bij ons staan. 'Wij moeten snel afspreken hoe wij onze ontdekkingen kenbaar gaan maken,' zegt hij zachtjes. 'Ik stel voor dat we daar iets gezamenlijks van maken.'

'Vondelpark, morgen?' zeg ik iets te snel, 'ik ben ook voor gezamenlijk. Ik zou er om vijf uur kunnen zijn, dan maken we een plan hoe we het hun gaan zeggen.'

'Ik zou me daar graag buiten houden,' knikt Thomas. 'Als ik dat stomme gedoe van mezelf met dat filmpje van mij mag vergeten, heel graag. Met de rest heb ik nauwelijks iets te maken. Ik was daar niet aan de deur. Ik heb ook niemand gesproken. Ik kan net zo goed van niets weten en dat houd ik liever zo.'

Ik kijk verbaasd naar Thomas en begrijp opeens dat hij bang is voor wat er zou kunnen gebeuren. Het is net alsof hij met deze opmerkingen zich ver van ons verwijdert.

'Oké, als dat voor jou beter is, dan doen Branca en ik dit samen. Ik ben er morgen om vijf uur. Dit mag niet slepend worden, we moeten zo snel mogelijk open kaart spelen,' zegt Elwoud, zijn stem klinkt beslist, zijn ogen staan donker. Hij kijkt steeds op zijn horloge en dan weer even naar mij.

Dit kleine gesprekje vindt in een paar minuten plaats temidden van het geroezemoes om ons. heen. Daarna lopen Thomas en Elwoud weg om een broodje te gaan halen.

Mijn vriendinnen houden zich op afstand en vergeten op dit moment zogenaamd hun aandeel in het onderzoeksdocument 'De Bruiden van Branca'. Maar ze volgen elke beweging van mij en ik weet dat ik over zeer korte tijd het laatste nieuws zal moet melden.

'Het vliegtuig is geland,' roept Nikkie uit, 'laten we voor de ramen gaan staan en kijken of we ze zien.'

Het is een bedrijvig groepje dat zich voor de ramen opstelt en de neuzen tegen het glas drukt. De ene stroom reizigers na de andere verspreidt zich bij de bagagebanden. Van de bruiden is niets te bekennen.

'Toch gefopt misschien,' grinnikt Thomas, 'dat zou eigenlijk de beste bak zijn voor de bruiden zelf, dat ze later horen dat wij hier allemaal voor niets zijn geweest.'

Mijn vader loopt weer terug naar het scherm of het vliegtuig inderdaad geland is en of we wel echt bij de goede aankomstbalie staan. Alles is in orde en weer speuren we tussen de mensen naar de bekende gezichten.

Net als Elwoud uitroept: 'Ik zie ze, ik zie Marte, kijk daar, ik zie Carlyn,' voel ik een kleine hand die hard aan mijn arm trekt. Ik kijk om en achter mij staan Ralph en Josmijn Klosje. 'Wat doe jij hier?' vraagt ze.

Ik loop snel een paar stappen weg van het raam en kijk hen geschrokken aan.

'We wachten op de bruiden, op mijn zus, op Marte, wij...' ik begin te stotteren.

Josmijn Klosje vliegt mij om de hals en zoent me uitbundig. 'Wat leuk, wat leuk, wij ook.'

Ralph geeft mij een hand, zijn gezicht staat ernstig. Hij weegt heel snel de betekenis van deze grote groep mensen af en vraagt bescheiden: 'Komen die allemaal voor de bruiden? Er zou namelijk niemand komen. Marte wilde dat er niemand kwam en dat wij ze kwamen halen.'

Ik word vuurrood en wijs naar mijn vader. 'Hij vond de aankomsttijd van het vliegtuig in de computer. Wij zouden ook niet gaan. Het is een soort van verrassing, de bruiden weten het niet, maar Carlyn, Carlyn weet toch niet dat... ik bedoel... of wel?'

'Carlyn zal nu alles wel weten en wij zouden hier daarom ook staan. Ze hebben naar ons gemaild en gevraagd te komen,' zegt Ralph.

'Wat een ellendige situatie,' zeg ik uit de grond van mijn hart en ik voel de aanwezigheid van Carlyn nu heel dichtbij.

'Wat is er, is er wat?' De stem van Josmijn Klosje klinkt heel hoog boven alles uit, 'wat praten jullie gek.'

'Wie zijn dat, Branca,' hoor ik de stem van mijn moeder, 'kom nou toch eens hier bij ons staan. Daar komt je zuster, oh kijk nou, wat zien ze er goed uit, zo bruin, kom nou toch hier staan Branca.'

Er is niets meer aan te veranderen. In een impuls til ik Josmijn Klosje op en loop met haar naar het raam. 'Ik zie Marte, ik zie Marte,' schreeuwt ze opgewonden, 'is die andere dan jouw zus, Branca?'

'Ja,' zeg ik.

De hele familie kijkt nu naar mij, terwijl aan de andere kant van het glas de bruiden naderen.

Ze lopen in een rechte lijn naar het glazen raam en zwaaien met verbaasde gezichten. Ik zie de blauwe ogen van mijn zuster vreemd oplichten, ze kijkt me ongelovig aan en een aarzelende glimlach breekt door. Ik kijk naar Marte die een kushand naar Josmijn weggeeft en dan haar wenkbrauwen optrekt wanneer ze door krijgt dat we er allemaal staan.

'Ze zijn het echt,' roept Josmijn Klosje.

'Er is niets meer aan te veranderen,' zeg ik tegen Ralph, 'laat het maar gebeuren.'

Elwoud komt naast mij staan. Zonder iets te vragen, begrijpt hij wat zich voltrekt. Hij steekt een hand uit naar Ralph, 'we komen geloof ik allemaal voor dezelfde bruiden,' zegt hij neutraal.

'Dat is nou mijn hulpmoeder, Branca,' klinkt de stem van Josmijn Klosje boven alles uit. 'Wat is ze mooi hè?'

Er valt een vreemde stilte.

Schiphol, ver voorbij de zeventiende september. De bruiden wachten op hun bagage.

Josmijn Klosje rent heen en weer en drukt zo nu en dan haar neus plat tegen het glas. Ralph probeert zich onzichtbaar te maken door een beetje afzijdig te gaan staan. Maar Elwoud blijft in zijn buurt en vormt een soort brug tussen hem, mij en de familie.

'Is ze dat?' seinen de ogen van Wanda, van Erica en van Thomas. De laatste trekt een gekke grimas en komt in mijn richting. Mijn vriendinnen buigen zich naar mijn ouders en proberen hen af te leiden. 'Dat ze nou echt met dit vliegtuig zijn aangekomen, wat zult u gerust zijn,' hoor ik Wanda zeggen.

'Als ik alleen was zou ik nu weggaan, maar voor Klosje wil ik dat niet doen,' de stem van Ralph klinkt beheerst, maar ook kwaad. Ik knik hem toe.

'Je moet er niet over denken om weg te gaan,' hoor ik mijzelf zeggen. Het voelt alsof ik in deze ogenblikken opeens volwassen word.

Het lijkt een gewone ochtend waar bepaalde mensen andere mensen ophalen. En weer andere mensen hun bekenden en familie weer wegbrengen. Maar voor mij lijkt niets gewoon.

Een meisje van net zeven jaar springt als een verbindende schakel tussen al die wachtenden in. Zij is zich niet bewust van wat zij aanricht. Niemand begrijpt nog goed wat er eigenlijk gaande is, maar wel dat er iets rammelt op de grondvesten van allerlei normen die hen verbinden. Ik zie de zusters van Marte onderzoekend naar mij kijken. Ik zie dat Elwoud zijn grootmoeder bezighoudt.

'Ongehoord stomme zet van jouw pa,' zegt Thomas op een vreemde toon vlak bij mijn oor.

'Of van jouw tante Marte,' kets ik terug. 'Wie vindt wie nou eigenlijk gek.'

Ik wil maar een ding. Ik wil Carlyn zien, ik wil haar horen. Ik wil haar horen zeggen dat ze alles weet en dat voor haar alles in orde is. De rest kan mij helemaal niets meer schelen.

Dan verschijnen ze bij de deur, allebei een bagagekar voor zich uitduwend. Er klinkt een applaus en een gejuich. Er zijn weer bloemen. Ze omhelzen de hele familie en laten zich zoenen en aanraken. Dan vangt Marte Josmijn Klosje op in haar armen en drukt haar stevig tegen zich aan.

'Ik wil op je schouders,' zegt Klosje en even later zit ze hoog en veilig op de schouders van Marte. Ik ga naast Carlyn lopen en schuif mijn arm door de hare.

'Verbijsterend,' hoor ik haar zeggen, 'hoe kan dit.'

'Later,' zeg ik, 'weet jij van Klosje?'

'Alles,' zegt Carlyn en ze kijkt me aan met een gezicht dat me geruststelt.

'Ik stel voor dat we een kop koffie drinken met elkaar, boven in het restaurant en dan gaan we naar ons eigen huis. Kom mee allemaal, wat een overval. Daar hadden we niet op gerekend,' Marte's stem klinkt gedecideerd, bijna koel.

'Dat hadden jullie niet gedacht hè, hier zijn speurders aan het werk geweest,' mijn vaders stem gaat geheel verloren. Antwoord krijgt hij dan ook niet.

Boven in het restaurant zitten we met z'n allen in een stille hoek van het restaurant. Het is nog vroeg en een zacht gekeuvel breekt los terwijl de koffie wordt geserveerd. Dan staat Marte op en vraagt om een momentje stilte. Ze is heel erg donker gebruind en lijkt daardoor helemaal niet meer Nederlands. Haar haar lijkt mij zwarter dan ik het in mijn herinnering had. Haar huid is glanzend van de zon en haar ogen fonkelen ons tegemoet. Daar sta je dan, Zwarte Panter, denk ik. En ik sta nog steeds heel dicht bij mijn zus die onbewogen als een houten beeld, in een stoel zit.

Marte neemt Klosje weer op haar schouders en buigt een beetje alsof ze aan een voorstelling begint.

'Jullie plegen een overval op ons door deze afhaalact,' zegt ze met een duidelijke stem. 'Wij hadden niemand hier verwacht, behalve Ralph en ook deze kleine meid op mijn schouders, Josmijn. Met hen hadden wij namelijk wel de afspraak dat zij ons zouden ophalen. Zo ging het blijkbaar dus niet. En ik vraag op dit moment niet waarom het zo is gelopen. Wij plegen nu een tegenoverval op jullie. Uit noodzaak, want we kunnen aan deze ontmoeting geen van allen voorbij. Na onze werkelijke fantastische reis, is het tijd om weer in de realiteit te komen. Meer confrontatie en vreemder dan nu kan het voor mij nauwelijks ooit meer zijn.' Marte neemt een kleine adempauze, terwijl Josmijn Klosje op haar hoofd trommelt en nieuwsgierig de kring rondkijkt. 'Bijna iedere familie heeft familiegeheimen,' vervolgt Marte. 'De bruiden die wij waren hadden ook familiegeheimen. Carlyn en ik hebben elkaar nog veel beter leren kennen deze maand en we hebben de laatste geheimen aan elkaar prijsgegeven. Deze kleine meid op mijn schouders is namelijk mijn eigen dochter, Josmijn. En dat daar is Ralph, haar vader. Wij zijn niet bij elkaar zoals een man en een vrouw dat meestal zijn, al heel lang niet meer. Ralph zorgt voor Josmijn als een echte vader en ik, ik ben niet meer dan een hulpmoeder aan de zijlijn. Zo hebben wij dat samen beslist. En waarom wij dat samen zo hebben beslist is een zaak van ons en heeft alles te maken met mijn verleden als oorlogsjournalist en met het land waar Ralph vandaan komt. En zo heb ik ook ooit beslist om deze feiten voor mijzelf te houden. Totdat ik mogelijk ooit zelf nog eens de ware liefde zou ontmoeten en mij veilig genoeg zou weten om deze stap in mijn leven aan iemand te verklaren. Carlyn was degene bij wie dat inmiddels is gebeurd. En dat is van een grote betekenis voor ons allemaal.'

'Krijg ik nu ook een familie?' De stem van Josmijn Klosje gaat met een krachtig geluid over onze hoofden heen.

Er gaat een golf van ontroering maar ook schrik door de groep die als in een stil gevallen film bij elkaar zit. Ik voel een misselijkheid in mij opkomen en zak op de leuning van Carlyns stoel. Onwillekeurig grijpen onze handen elkaar vast. Ik zie dat Elwoud zich buigt naar de moeder van Marte. En iets in haar oor fluistert.

'Ik denk inderdaad dat jij meer familie krijgt,' zegt Marte tegen Josmijn.

Dan gebeurt er iets wonderlijk. Iets waardoor alle opge-hoopte spanning in mijn lijf opeens weer zomaar uit mij glijdt. Er gebeurt iets waar we allemaal met ingehouden adem naar kijken. De moeder van Marte staat op uit haar stoel en loopt naar Marte en Josmijn toe.

'Ik begrijp de helft niet van deze geschiedenis,' zegt ze, 'maar dat geeft niet. Wat wel zo is, als jij bij Marte hoort, Josmijn, dan hoor jij in ieder geval ook bij mij. Al ben ik al oud, ik ben nooit te oud om een grootmoeder te zijn,' ze spreidt haar armen uit en Josmijn glijdt van Marte's schouders en laat zich omarmen. Dan gaat Marte's moeder naar Ralph en schudt hem de hand terwijl haar andere hand in een liefko-zend gebaar over zijn schouder gaat.

De tranen lopen over mijn gezicht. 'En jij dan Carlyn?' vraag ik zacht.

'Het is goed zo Brancie, het is allemaal goed zo. Kan jij zor-gen dat ze nu allemaal verdwijnen en dat wij met Ralph en Josmijn naar huis kunnen?'

Dat kan ik. Ik kan alles en Carlyn weet dat nog niet. En Marte weet nog niet dat haar neven om mij heen zwerven en dat ik me aangeraakt voel, door de bruiloft, door alles na de bruiloft, door Josmijn Klosje.

'Bericht van de bruiden,' roep ik tussen mijn handen, 'na deze ontboezemingen die we allemaal nog zullen moeten verwerken, vraag ik jullie: zwaai hen opnieuw gedag.' Ik spring op een stoel en verhef mijn stem nog meer. 'Zij, de bruiden, vertrekken nu met Ralph en Josmijn zoals was afge-sproken en wij zien ze later.'

Is mijn stem ooit zo duidelijk geweest? Ik sta weer op de grond, ik neem de bruiden allebei bij een arm en voer ze weg uit de koffiehoek.

'Zwarte panter,' fluister ik in Marte's oor. 'Er is nog veel meer nieuws,' zeg ik zacht tegen Carlyn, 'mijn nieuws, dat hoor je later.'

'Branca, die ken ik al,' klinkt de hoge kinderstem van Klosje, 'zij heeft met mijn poppenhuis gespeeld, en met de houten poppenfamilie.'

'Kom op, Klos,' zeg ik, 'ga achter hen aan en neem je vader mee.'

Ik loop terug naar de koffiehoek in het restaurant. Iedereen is er nog. Mijn moeder en tante Resel kijken allebei naar mij alsof ik de oorzaak van dit alles ben. Mijn vader steekt omslachtig een sigaret op en blaast wolken rook over ons heen. De familie van Marte staat dicht bij elkaar en spreekt gedempt en met gebogen hoofden. De vrienden en vriendinnen van de bruiden verwijderen zich zonder afscheid te nemen.

'Daar gaan De Bruiden van Branca,' wijst Wanda.

'Dossier gesloten, wij zullen het vernietigen,' knikt Erica opgewekt, 'tjonge jonge wat een bruiloft was dit zeg.'

'Ik ga met mijn vriendinnen mee,' roep ik naar mijn ouders, 'tot straks, wij nemen de trein.' Hun antwoord wacht ik niet af.

'Wij gaan mee,' zeggen Thomas en Elwoud tegelijk en gevijven lopen we in de richting van het spoor. Vlak voor we de trein instappen, zegt Thomas tegen ons allemaal dat hij verwacht dat we op zijn minst diezelfde avond een borrel komen drinken op de Weteringschans.

En als de trein zich in beweging zet, fluistert Elwoud in mijn oor dat de afspraak morgen in het Vondelpark, wat hem betreft gewoon doorgaat. En dat hij zich daar zeer op verheugt.

Ik bevestig alles. Ik leun achterover. Er is een soort overheersende muziek in mijn hoofd.

Het heeft iets met een nieuwe vrijheid te maken. Ik onderdruk de neiging om te willen tapdansen. Als ik thuiskom, zal ik eerst mijn broers bellen.

Familie van steen
Familie van hout
Familie van niets
Familie waar ik om alles
gewoon zomaar van houd

Deze dropping is de vervanging van zoveel buitelende gevoelens.
Ik plak hem in de weken die volgen bij iedereen die ik ontmoet in een tas of in een jaszak of op het zadel van een fiets.

Meer lezen?
In de Life-reeks zijn de volgende boeken verschenen:

Diet Verschoor
Emma's Noorderlicht

Het is zomervakantie, maar Emma heeft nergens zin in. Haar moeder gedraagt zich al tijden vreemd en wil ook niet op vakantie. Emma heeft ruzie met haar beste vriendin Geertje. En ook met Ton, haar boezemvriend, is het allemaal niet meer zoals het was. Uit pure balorigheid en verveling stemt ze toe om met haar oma mee te gaan naar Texel. Het lijkt een saaie vakantie te worden, totdat oma haar een pakje brieven geeft van Emma's overleden overgrootmoeder. De brieven zijn geschreven toen Emma net geboren was. Volgens de instructies van haar overgrootmoeder mag Emma de brieven eigenlijk pas op haar zestiende verjaardag lezen, al weet zelfs haar oma - die de brieven moest bewaren tot die dag - niet precies waarom. Dat wordt duidelijk als Emma het pakje opent en begint te lezen! In de brieven wordt een groot geheim onthuld dat ook het vreemde gedrag van Emma's moeder verklaart. Emma's leven raakt totaal uit balans. Toch is er op het eiland een lichtpunt: Hidde, die vastbesloten is om Emma te veroveren.

Diet Verschoor
Romeo nu

Tijdens het eindexamen stort Petter helemaal in. Hij besluit niet meer naar school terug te gaan. Niemand die het begrijpt, want hij was altijd zo'n goede leerling. Zou het komen door de dood van zijn grootvader, of door de voortdurende ruzies met zijn vader? Of heeft het iets met Brigit te maken? Brigit, het spannende Noorse meisje dat vorige zomer zo'n verpletterende indruk op Petter maakte en even overrompelend verdween als ze gekomen was. Omdat hun liefde onmogelijk leek...

Verkrijgbaar bij boekhandel en bibliotheek

Omslagontwerp: Ivar Hamelink, Haarlem
Foto omslag © Zefa Beneluxpress, Voorburg
Gedrukt en gebonden door Bariet, Ruinen

© Uitgeversmaatschappij Holland - Haarlem, 2003

ISBN 90 251 0921 7
NUR 284/285

*Dit boek is gedrukt op milieuvriendelijk, chloorvrij gebleekt
en verouderingsbestendig papier*